JN062649

NECフェロー Imaoka Hitoshi
今岡 仁
顔認証の教科書
Essentials of Face Recognition
明日のビジネスを創る
最先端ＡＩの世界
¥5500

プレジデント社

はじめに

顔をカメラに向けるだけで本人確認を瞬時に行う顔認証技術は、オフィスやマンションの入退場管理、バイオメトリクスパスポート、空港のファストトラベル、スマートフォンの個人認証など、今やすっかり身近な存在になりました。また、先ごろ開催された東京２０２０オリンピック・パラリンピック競技大会では、オリンピック史上初めて選手を含む大会関係者の入退場管理に使われました。

このように顔認証が広く社会に浸透した背景としては、ＡＩ（人工知能）の深層学習（ディープラーニング）をはじめとする機械学習の進展により認証精度やスピードが飛躍的に向上したことに加え、公共分野だけでなく商業やエンターテインメントなどさまざまな場面で使われるようになったことが大きいと思います。

近未来に目を向けると、新型コロナウイルス感染症（ＣＯＶＩＤ－19）に端を発した非接触・非対面社会への移行や新たなデジタル技術の発展など、ダイナミックに変化する社会の中で、顔認証に期待される社会的な役割はますます大きくなっていくでしょう。

私は、2002年からNEC（日本電気）で顔認証技術の研究開発に取り組み、NECの〝顔認証の顔〟を担ってきました。現在は、フェローとして顔認証を含む各種生体認証にとどまらず、AI・デジタルヘルスケアを含むデジタルビジネスに関する技術を統括しています。

NECは1970年代からの指紋認証の研究や開発をはじめ、顔認証、虹彩認証、耳音響認証などの生体認証の研究開発と製品化及び実装で、世界をリードしてきました。なかでも顔認証は、世界的な権威であるアメリカの国立標準技術研究所（NIST）から世界ナンバー1の認証精度とスピードであるとの評価を得ています。しかし、私が顔認証の部門に移ってきた当時は予算も人もいない、ほとんどゼロからのスタートでした。そこから研究を重ね、世界ナンバー1の技術を必死に磨いてきました。

今、顔認証に対する信頼を得て、これほど世の中に広く浸透したのかと隔世の感を禁じ得ないと同時に、誇りに思っています。安全・安心で便利な世界の構築に向けて、さらに社会貢献していきたいと考えています。

一方、これだけ顔認証が広く社会に普及したにもかかわらず、顔認証の技術の仕組みや利用方法について正しく、しかも平易に解説した書籍は残念ながらありませんでした。顔認証を広く使っていただき、より便利で安心な社会の形成に向け、さまざまな人々が議論し、協力しあうためには、共通の土台となる書籍が必要だと考えました。そのような思いから、この度日本で初めてビジネスパーソン向けに顔認証の解説を書籍にまとめてみました。

本書は全部で4章構成となっています。それぞれの章は独立していますので、興味を持っていただいたところ、好きなところから読みはじめていただいて構いません。気軽に手にとり、楽しく読んでいただければ幸いです。

第1章は、そもそも個人を認証するのに顔が使われるようになったのはなぜか、さらにその歴史や理由、パスポートなどで使われる顔画像に含まれる情報の豊富さ、顔がどのように人間に認知されているのか、顔の不思議さなど、顔にまつわるさまざまなトピックを紹介することにより、コンピュータによる認証と人間による認知とで何が共通するのか、あるいは何が根本的に違うのかを説明します。

第2章は、顔認証や深層学習（ディープラーニング）の仕組みを、数式をなるべく使わずに、しかもわかりやすく説明することを目標に書き下ろしました。顔認証も、世の中で広く耳にするようになった深層学習に根差したものであり、ＡＩ（人工知能）や深層学習をよりスッキリ理解していただけるのではないでしょうか。ただし理解を深めていただきたいため、あえて難しい話も入れています。その部分は必要なときに読んでいただければ幸いです。

第3章は、世界ナンバー1の顔認証技術を達成し、その後も技術を磨き続けるために私たちが取り組んだ工夫を包み隠すことなく披露しています。チームづくりや仲間づくり、世界トップ獲得を巡るライバルとの駆け引き、スケジューリングや心身の鍛え方など、どれも一企業の一ビジネスパーソンの立場で実践してきたことばかりです。経営者やマネジメント層、技術者の方々にとって、世界で定評ある日本の「モノづくり」復興のヒントになるのではないかと思います。

第4章は、コロナ禍をきっかけとした非接触・非対面社会への移行や、5G・6G・ＡＩの発展などダイナミックに変化する社会で、今後顔認証がどのように使われ、社会に貢献できるのか。効率性だけでなく、健康を含む安全・安心や公平な社会の形成に貢献しうるのかについて、顔認証技術の実装例や、今後の技術や社会実装の展望を紹介しています。医療現場での大腸がんや食道がんの予兆発見をサポートする画像診断ＡＩも、実は顔認証技術から派生したものです。このように技術とビジネスの「飛び地」も探っています。

本書が読者のみなさまの顔認証に対する興味の扉を開くきっかけになれば幸いです。

今岡　仁

目　次 [Contents]

第2章　AIと顔認証技術

第3章　世界との戦い

第4章　顔認証技術で変わる世界

第1章

顔認証とは

1 顔とは何か

――似顔絵は、なぜ人の顔の特徴を捉えているのか

観光地を訪れると、似顔絵師が観光客の似顔絵をときにリアルに、ときにユーモアたっぷりに描いている光景をよく目にします。その絵とモデルになっているお客さんの顔を見比べると、単純な線だけで描かれているのにもかかわらず見事に特徴を捉え、その人らしい似顔絵になっていることに感心します。

本書のテーマである「顔認証」は、人の顔を把握して、それが誰なのか、あるいは本人に間違いないのかを特定する技術です。当然ながら主役は顔です。

私たちにとって「顔を捉える」とはどういうことなのでしょうか。あるいは、顔を見て、それが誰なのか特定できるのはなぜでしょうか。

私たちは普段、似顔絵師ほどじっくり人の顔を観察して特徴を捉えようとすることはあまりありません。ひょっとしたら「福笑い」のように、顔とは基本的には「目と鼻と口があるもの」といった程度の単純な捉え方の人もいるかもしれません。

実際、初対面の相手の顔を見たときに、なんとなく覚えられても、どう覚えているのかをうまく説明できないことが多いのではないでしょうか。特徴を誰かに伝えるにしても、垂れ目だとか、両目が離れているといった、非常に貧弱な表現にとどまってしまいます。

いずれにせよ、似顔絵師は一見単純な線をサラサラと描いていくだけで、顔の特徴をあれほどうまく表現するのですから、人間の顔には福笑いのような単純なものでは決してない、多くの特徴が潜んでいることは間違いありません。

──顔にはさまざまな機能がある

身体を構成する要素としての顔は、手や足などと比べて実に複雑で多様な面を持っています。実際、手や足を見ただけでそれが誰のものかを判断することは至難の業ですが、顔であればすぐにピンときます。

『「顔」の進化』（馬場悠男・著　講談社ブルーバックス）によれば、顔は大昔に、口が食べ物を摂取する場所として、そして目や耳などの感覚器官が情報を収集する場所として発達してきたそうです。また、顔を「エネルギーシステム」として見た場合、顔は食べ物と酸素を効率よく体内に取り入れて、エネルギーを生み出す消化（捕食・消化・吸収）システム、呼吸システムの出入り口でもあります。

さらに、顔は、自分の周囲の状況の認識機能や情報の受発信の機能を持つことから、一種の「情報システム」として捉えることもできます。また、すべての動物に必ず当てはまらないかもしれませんが、人間を含めた一部の動物にとって、顔はさまざまな表情をつくり出し、自身の感情を表現し、意思を表示する器官でもあります。

私が専門にしている顔認証とは、顔そのものを研究する学問ではなく、顔をコンピュータで解析して特徴を引き出し、その特徴を使って本人確認に応用する技術です。言い換えれば、コンピュータが顔をどう捉えればいいのか、何を捉えればいいのかを研究することでもあります。したがって、私は顔認証を「顔を知るための入り口」だと捉えています。人の顔のことがもっとわかるようになれば、人の感情だけでなく、もしかすると他の動物の感情も理解できるようになるかもしれません。

「顔」が与える情報は圧倒的

初対面の人物を判断するときに、顔が大きな意味を持つことが少なくありません。もちろん、言葉や体型・体格、動作なども判断する際の重要な要素ですが、顔が占める割合は大きいはずです。外見の中で特に重要なパーツと言っていいでしょう。それほど顔は大切な要素です。実際、時代劇などでも「お尋ね者」はとにかく似顔絵が手がかりになりますし、空港などの入国審査でも顔をしっかりと確認されます。パスポート、社員証、学生証、免許証、これらにはみな顔写真が使われています。本人を確認するうえで顔がいかに有効な手がかりであるかがわかります。

「目は口ほどに物を言う」との言葉どおり、顔の中でも目が持つ意味はとりわけ大きいようです。実際、テレビや雑誌などではプライバシー保護の目的で写真に写っている人物が誰だかわからないように目を黒い横線で隠すことがあります。つまり、目を隠すことで正体を知られずに済むという考えが背景にあるのでしょう。有名人がお忍びで出かけるときにサングラスをかけるのも「目を隠す」という目的があるからです。

ところが、こうした思いとは別に、最近の顔認証技術は、サングラスをかけていてもマスクをしていても、問題なく本人を特定することができます。その意味では、すでに技術的には人間の識別能力を超えたと言っていいでしょう。「これならばれないだろう」という人間の期待さえも超えてしまったのです。

それではまず、東京２０２０オリンピック・パラリンピック競技大会を安全に開催するために、顔認証が貢献した事例から紹介します。

2 史上初！ 顔認証がオリンピック・パラリンピックに貢献

――2メートルの人も車椅子の人もストレスなく認証

２０２１年7月23日～9月5日にかけて開催された東京２０２０オリンピック・パラリンピック競技大会では、40を超える全競技会場や選手村、メディアプレスセンターで、選手を含む大会関係者向けの入退場管理に、ＮＥＣの顔認証が利用されました。入場ゲートでの本人確認に警備員の目視ではなく顔認証技術が使われるのは、史上初です。

オリンピックでは43万人、パラリンピックでは30万人の大会関係者が利用し、ピーク時で1日17万人、延べ４００万回の本人確認が行われました。精度は99・８％を確保するなど、開催期間中に大きな不具合もなく、オリンピック・パラリンピック両大会の安全開催に貢献できたことは、顔認証技術の開発者として誇りに思います。

オリンピック・パラリンピックのような巨大イベントで顔認証技術を活用していく場合、技術面もさることながら、実はそれを取り巻く運用面も含めて高いノウハウが求められます。

オリンピック・パラリンピックでは、選手・関係者はアクレディテーションカード（資格認定証）を携行しています。従来はこれをもとに警備員が目視で本人確認をしていたのですが、今回はそれに顔認証技術を組み合わせることになりました。

いくら新しい技術でも、従来方式より入場に時間がかかるようでは使い物になりません。ゲートを通過する選手・関係者の中には、２メートルを超える高身長の人もいれば、車椅子の人もいます。一人ひとりの顔の高さに合わせてカメラの向きをいちいち調整している時間はありません。ゲートで選手らが滞留することなくすいすいと通り、それでいて資格外の人は確実に呼び止めなければなりません。

この一連の流れの中で、顔認証に割ける時間はわずかなものです。そうなると、入場者の動線はどうするか、何メートル先から顔を撮影するのか、カードのタッチの位置はどのあたりがいいのか、車椅子でもスムーズに近づき通り抜けられるのか……。

そのような全体的な視点から何度も実験を重ねて最適なフローを作り上げていきました。

実際の現場では、単に認証の精度だけでなく、総合的なスループット（処理速度）を上げることも大切です。それこそ、ゲートでの立ち位置を示すマットの置き方までスループットを上げるノウハウになります。逆光にならないようなゲートの向きも考慮します。顔の向き、表情、照明条件、屋外での利用など、さまざまな条件を考えなければならず、スマートフォンを見ながらうつむき加減で入ってくる人など、みな思い思いに歩いてきますので、あらゆるパターンを想定してシ

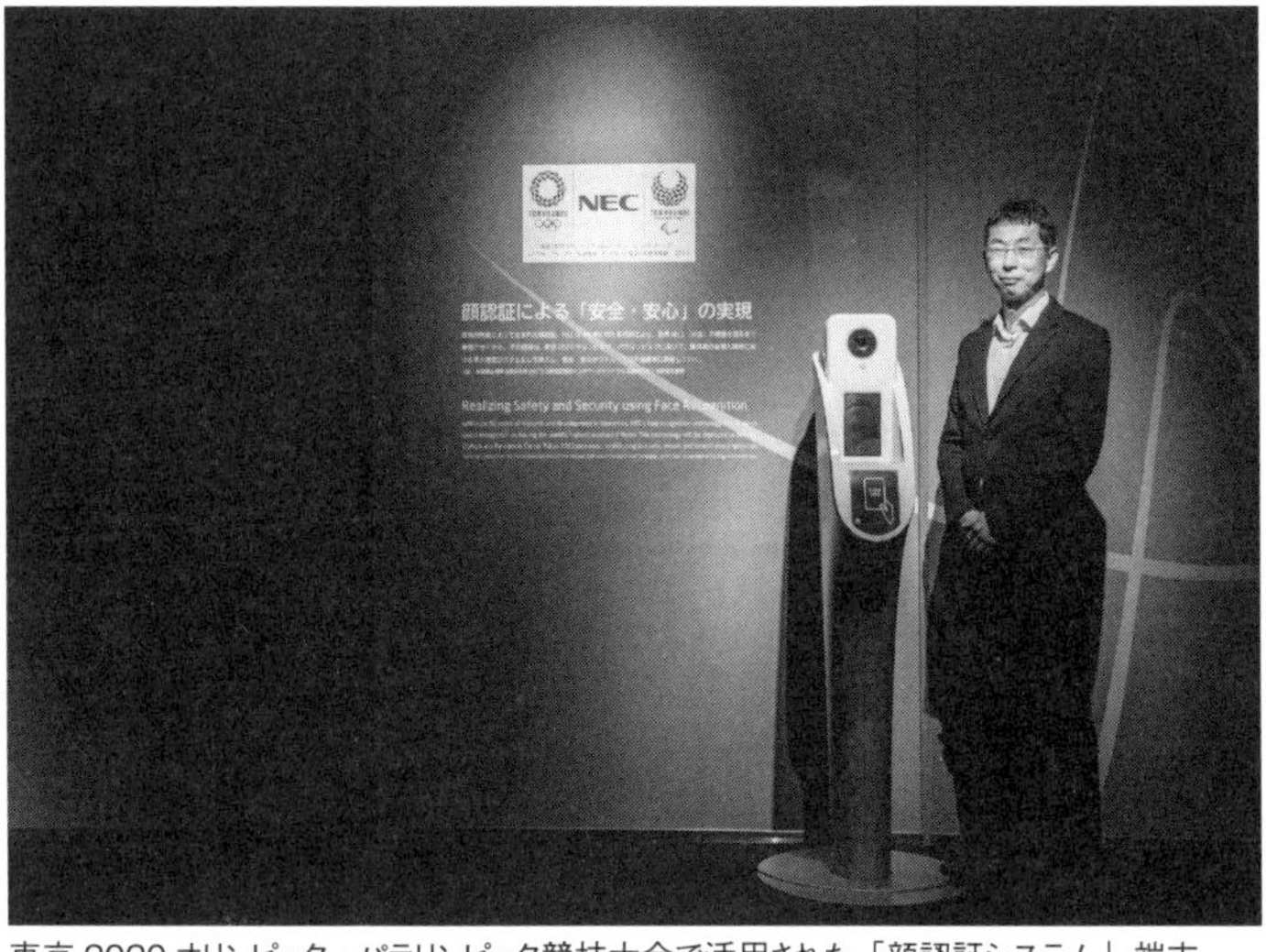

東京 2020 オリンピック・パラリンピック競技大会で活用された「顔認証システム」端末
（写真撮影：宇佐美雅浩）

ステムをつくり込みました。

このような努力の甲斐もあって、安全確保だけでなく、選手がストレスを感じることなく競技に集中する環境づくりに貢献することができました。選手からの評判もとても良かったと聞きます。実際、スポーツクライミングの女子複合決勝で総合2位となり銀メダルを獲得した野中生萌(みほう)さんは「顔認証がとてもスムーズで、CM撮影を思い出し、うれしかった。自分の顔が認証されるということが毎回楽しかったです」と語っています。このオリンピック・パラリンピックについては、第4章でも詳しく説明します。

――精度とスピードの向上に顔認証は不可欠

ところで、これまで長らく警備員の目視頼りだった本人確認に代わって、今回からなぜ顔認証が利用されることになったのでしょうか。ここでは目視によるチェックの課題と、顔認証を利用するメリットを簡単に説明します。

大会の安全とスムーズな運営を両立させるうえで、目視によるチェックにとって本人確認の精度とスピードに課題がありました。

わかりやすい例で言えば、私たち日本人にとって外国人の本人確認は慣れていないために判断が難しくなりがちです。目視には経験や適性が表れやすいですが、顔認証技術であれば高い精度で本人確認を行うことができます。人間の目視だと、「写真と少し違うような気もするが、でも本人だろうな」と一瞬考え込んでしまう場面もありえます。その度にいちいち声をかけて確認していては、ゲートが大渋滞を起こしてしまいます。

その点、顔認証技術であれば、高速かつ的確に判定することができます。ごく例外的なケースのみ警備員が声をかければいいのです。このようにして、いろいろなノウハウを積み重ねていった結果、目視と比べて、顔認証技術を組み合わせたシステムのほうが所要時間を半分以下に短縮できる例も出てきました。

ここで、顔認証技術の精度とスピードについて触れておきます。アメリカ商務省の機関である国立標準技術研究所（National Institute of Standards and Technology、ＮＩＳＴ）は、世界各国のベンダーが開発する顔認証アルゴリズムのベンチマーク評価を開催しており、アメリカ、中国、欧州、ロシア、日本など世界各国の有力ベンダーが参加しています。このベンチマークテストでNECの顔認証アルゴリズムは、エラー率0・4％の精度と、1秒間に2・3億回のスピードで、本人確認ができると評価されました。実際は、認証端末とサーバー間の通信などにもう少し時間を要するのですが、認証精度の高さとスピードの速さに驚かれたのではないでしょうか。

こうした精度とスピードの両立に成功したのは、この10年ほどの深層学習（ディープラーニング）をはじめとするＡＩ（人工知能）の機械学習の進展と、これを積極的に技術に取り込んだことによるものです。その仕組みと開発チームの奮闘の様子は、第3章で詳しく説明します。

3 生体認証の種類と顔認証

——利便性と安全性を両立した本人確認方式＝生体認証

私たちが安全で便利に世の中のデジタルサービスを使うためにも、今後顔認証は、不可欠な本人確認の手段になっていきます。ここでは、その他の認証手段も含め、それぞれの特長を簡単に説明します。

まず、「認証」とは「本人かどうかを確認すること」を意味します。日常生活でも「認証」の場面はよく見られます。

たとえば、銀行のＡＴＭ。キャッシュカードで現金を引き出そうとすると、ＡＴＭはまず、その人物がカードの本当の持ち主、つまり本人かどうかを確認する必要があります。そうしないと、拾ったり盗んだりしたカードでも現金を引き出されてしまうからです。そこで、カードの本当の持ち主でなければ知り得ない暗証番号の出番となります。本人であれば暗証番号を当然知っていますので、これを入力するとATMはカードの持ち主として登録されている情報と一致するかどうかを調べ、同一であれば「預金者本人が来た」と判断して、希望どおりの金額を払い出します。

では、顔認証はどうでしょうか。ATMで使うキャッシュカードや暗証番号の代わりとなるのは「あなた自身の顔」です。顔認証装置に顔を見せると、この人が登録されている本人かどうかを調べ、同一人物と判断されれば、お金を下ろすことができます。

——認証方式の種類

このように本人を特定する方式（認証方式）には、大きく分けて「知識認証」「所有物認証」「生体認証」の3つの方式があります（図表1-1）。

①知識認証

パスワードや暗証番号に代表されるとおり、特定の数字や文字列を知っている人

図表1-1
認証方式の種類

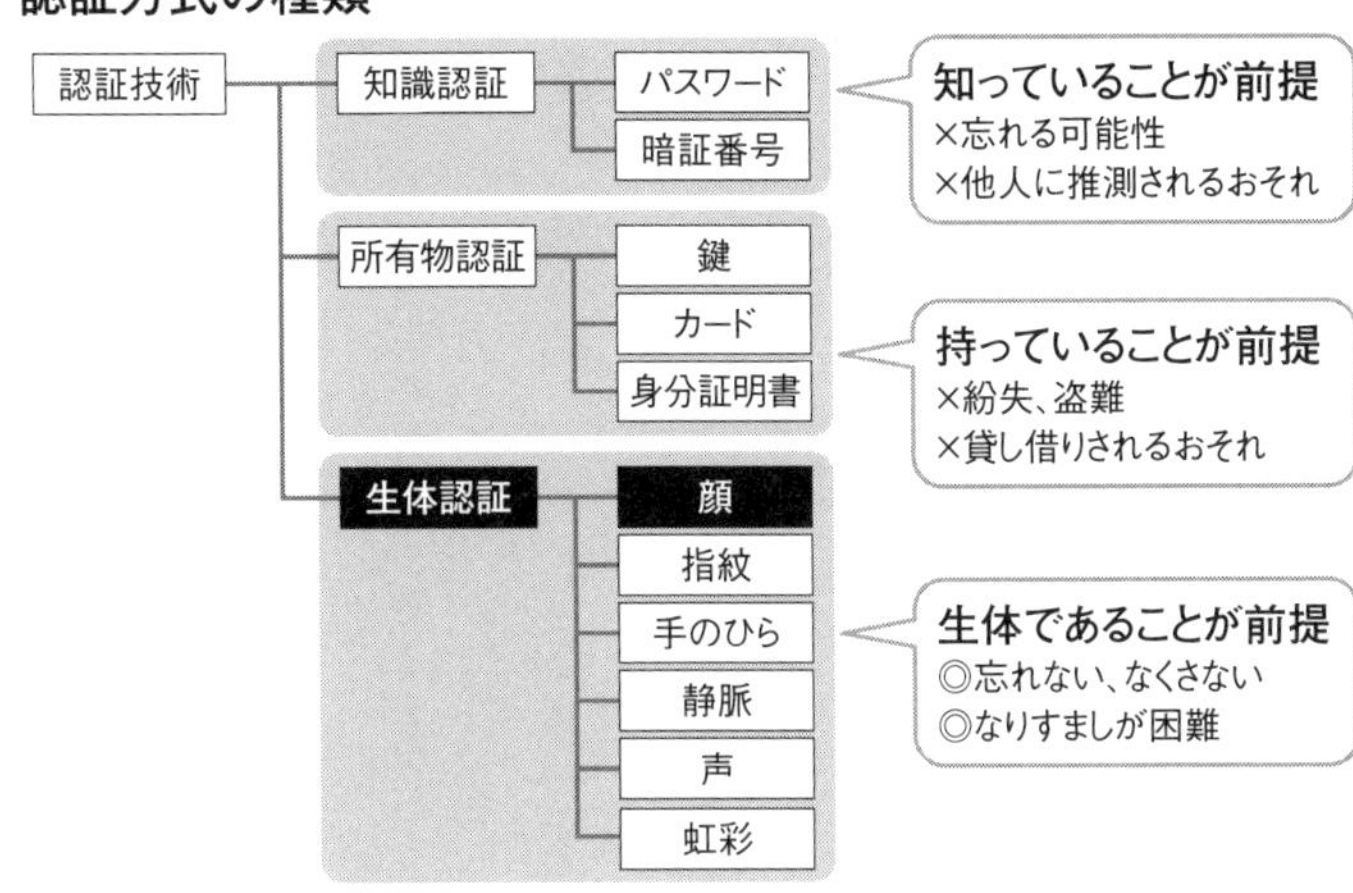

を唯一の本人とする認証方式で、「what you know（知っていること）」に着目しています。

場所をとらず、紛失する心配がないのがメリットです。一方、思い出せなくなったり、他人から推測されたりする危険と隣り合わせです。

最近では、入力の際に大文字と小文字、数字、特殊記号を混ぜて10文字以上にすることを求められるなど、利便性や安全性の面で煩雑になりつつあります。当然、記憶するのも難しくなっています。かといって、忘れないようにメモしたり、同じものを使いまわしたりすると、それが盗まれたりする可能性も高くなります。

②所有物認証

ドアの鍵や社員証などの身分証明書に代表されるとおり、所持者を唯一の本人とする認証方式で、「what you have（持っているもの）」に着目します。「所有物認証」のデメリットは、その証しをうっかりどこかに置き忘れてきたり紛失したりすると、自分自身であることを証明することができなくなることです。また盗難のおそれもあります。

③生体認証

前述の「知識認証」「所有物認証」のデメリットを克服し、利便性と安全性の両立と向上を目指したもので、「what you are（あなたは何であるか）」に着目します。鍵や社員証など形のある物を持つ必要はありません。パスワードなどを記憶しておく必要もありません。生体認証は一人ひとり固有の身体的な特徴を〝鍵〟として使うため、なりすましや偽造が難しく、確実なセキュリティが必要な場面での本人確認に適しています。

スマートフォンにおける本人確認は、スマートフォンを持っていることによる所有物認証、パスワードなどでスマートフォンのロックを外すときの知識認証、顔認証や指紋認証による生体認証を使っているので、ハイブリッド型と言えるでしょう。

また、究極的には、鍵やカードも暗証番号もいらなくなり、自分の頭の中で「パスワードはなんだっけ?」と思い出すことや、家に入るときに鍵がなくポケットの中を探るといったイライラがなくなります。そういう意味で、安全性と利便性を追求できる技術が生体認証であり、顔認証はその両面で優れています。

ここまで読んで、「身体的な特徴を〝鍵〟として扱うのであれば、使い方によっては顔認証の利用はプライバシー侵害につながるのでは?」と心配される方がいるかもしれません。

一人ひとり固有の身体的な特徴である〝鍵〟は、改正個人情報保護法（平成27年法律第65号）により、「個人識別符号」のひとつとして、通常の個人データとは異なる特別な保護の対象とされています。

NECは、こうした法令を遵守するのはもちろんのこと、他社に先駆けて2019年4月に「NECグループ AIと人権に関するポリシー」を策定しました。社員一人ひとりが、企業活動のすべての段階で人権の尊重を常に最優先すべきものとして念頭に置き、それを事業活動に結びつけることとしています。

さらに、〝鍵〟に暗号をかけたまま本人確認を行う技術や、必要に応じて〝鍵〟を無効化できる技術の開発・実装が進んでおり、万一のときにもフェールセーフがしっかりと働く仕組みを仕様に盛り込むなど、技術で解決する措置も講じられています。これらの技術については、第2章で詳しく解説します。

――生体認証の中でも、特に利便性・安全性が高い顔認証

顔認証は、生体認証に含まれる認証方式です。生体認証には、顔認証以外に、指紋、手のひら、静脈、声、虹彩などの身体的特徴が利用されています。図表1-2は、生体認証に利用する特徴を種類別に一覧にしてまとめたものです。生体認証には、指紋、手のひら、虹彩のように時間経過とともに変化することのない静的な情報（身体的特徴）を使う方法のほか、筆跡や歩行のように本人の行動特性のダイナミクスに着目し

図表1-2
生体認証で利用される主な特徴

身体的特徴(主に静的な情報)	行動的特徴(動的な情報)
・指紋、掌紋、掌形 ・顔 ・虹彩、網膜 ・音声 ・血管(指静脈、掌静脈) ・耳形、耳音響 ・DNA	・筆跡、筆順、筆圧 ・歩行 ・キーストローク ・リップムーブメント ・まばたき ・脳波 ・視線

た動的な情報（行動的特徴）を利用する方法もあります。

指紋認証は、歴史も長く、私たちにはお馴染みの認証方法です。出入国管理や機密性の高い入退室管理など世界中で広く採用されているのは、生体認証の中でも、識別・認証精度に優れているからです。指紋を形づくる線の末端部分や分岐点、線と線の間の距離が人によって異なる点に着目して、本人を確認します。

手のひら認証は、掌紋（手のひらの模様）や掌形の特徴をもとに本人確認を行います。掌紋認証は、指紋と同様、手のひらにある線の特徴に着目します。掌形認証は、指と指関節の形と長さをもとに本人確認をするものです。

静脈認証は、人体の皮下部分にある静脈のパターンを赤外線光で読み取り、本人確認を行う方式です。遺伝学的に同一の一卵性双生児でも静脈のパターンは異なるため、高い精度を達成できると考えられています。

声認証は、発声で話者の本人確認を行います。声は、声道内の共鳴によって生まれます。人により声道の長さと鼻腔の形状が異なるため、声に違いが出てきます。このような人の声の違いを利用して、声認証します。

虹彩認証は、瞳孔を取り囲む環状部分の模様に独自の構造と複雑なパターンがある点を利用します。人工的な複製が事実上不可能であり、同じ虹彩が世の中に2つある可能性はないと言われており、高精度で本人確認ができます。

署名認証は、行動的特徴を利用した代表的な方法です。筆跡だけでなく、筆順、筆圧などを併用して、認証精度を向上させています。クレジットカードの本人確認時などに利用されています。

さらに、複数の生体特徴を組み合わせて行う方式を「マルチモーダル生体認証」といいます。たとえば、顔認証と虹彩認証を併用することで高い利便性と安全性を生む「顔・虹彩マルチモーダル生体認証技術」はすでに実用化されています。この事例については第4章で紹介します。

こうしたさまざまな生体認証の中で、顔認証は、特別なデバイスを必要とせず、スマートフォンやPCに搭載されるような汎用小型カメラでも認証可能です。また、一度に1人だけではなく、数メートル離れた場所から、複数の人々を同時に撮影して本人確認することも可能です。さらに、立ち止まらずに通り抜けるだけで本人確認ができるウォークスルー型や、短い時間でたくさんの人々を処理する必要がある駅の改札や施設の入退場ゲートでの利用も期待されています。新型コロナウイルスの感染防止

図表1-3
生体認証における各技術の位置づけ

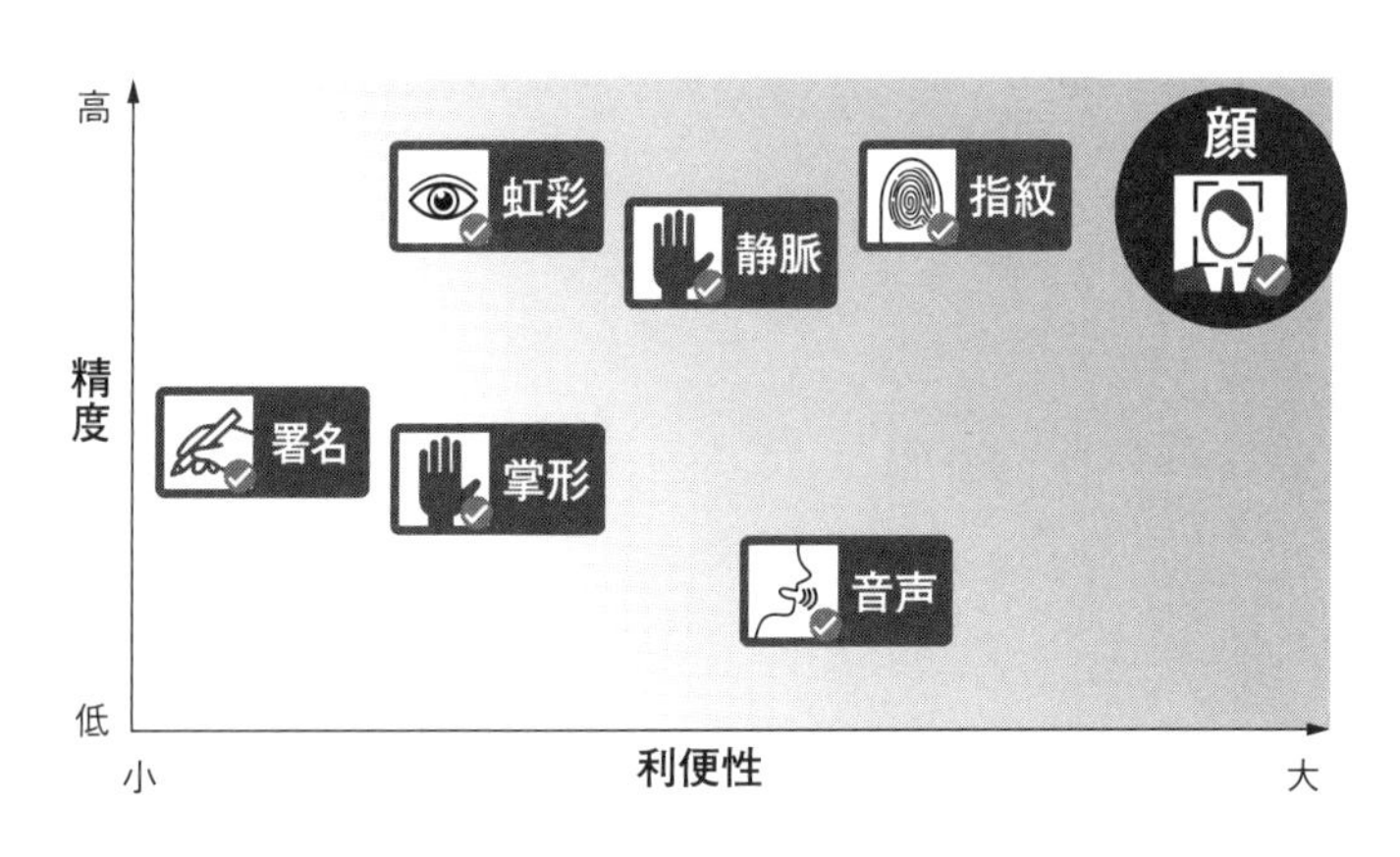

対策としての非接触・非対面へのニーズにも合致しています。

このように、顔認証は、利便性が非常に高い方法です。さらに、近年の深層学習の進展により、顔認証の精度は格段に向上しました。すなわち、顔認証は、利便性と高い認証精度の両方を兼ね備えた方法であると言えます（図表1－3）。

認証精度と利便性が両立する本人確認手段として、すでに出入国管理などの国家レベルから、銀行のATM、PCログインなどの企業・個人レベルまで幅広く利用されています。

4 顔認証システムとは何か？

――照合画像と登録画像

それでは、顔認証システムとは何かについて、その構成要素を定義し、仕組みを簡単に説明します（図表1－4）。

たとえば、空港の出入国管理では、国境を通過しようとしている人がパスポートに記された氏名・国籍の人物と「同一人物であるか否か」を確認します。このとき、顔認証システムは、国境を通過しようとしている人物の顔画像を撮影し、パスポートに埋め込まれた顔画像と比較し、同一人物であるか否かを判定します。

顔認証を行うためには2枚の画像が必要になります。1枚目は、国境を通過しようとする際に人物を撮影した画像です。これは「照合画像」と呼ばれ、顔画像の「照合」

のために国境を通過しようとする度に撮影されます。もう1枚は、パスポートにあらかじめ埋め込まれている顔画像である「登録画像」です。

照合画像は、国境（出入国審査場）に置かれている「認証端末」という装置で撮影します。

――顔認証アルゴリズムとは

同一人物であるか否かを人間に代わって判定する「顔認証アルゴリズム」も必要です。

さらに顔認証アルゴリズムには、「顔検出」「特徴量抽出」「顔照合」という3つの重要な機能があります。

第1の機能である顔検出は、登録画像や照合画像に写っている顔を探し出し、顔の位置を特定します。

第2の機能である特徴量抽出は、照合画像や登録画像に写っているバラエティに富む個人の顔の違いを数値列として取り出します。この数値列を「特徴量」と言います。

図表1-4
「顔認証システム」の構成

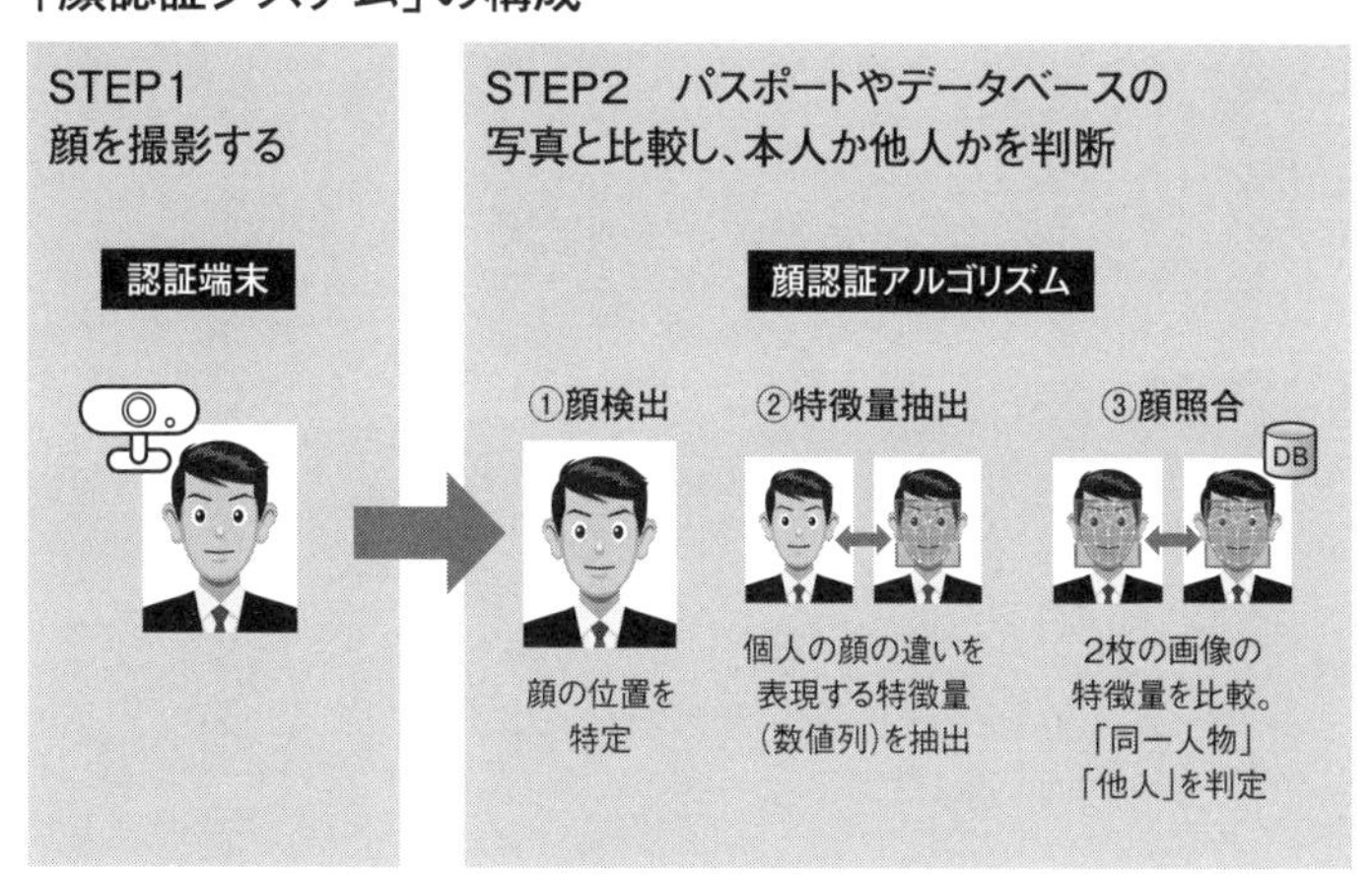

たとえば、（0.5, 0.2, 0.3,・・・・, 0.2, 0.7）のような数百から数千の要素の数値列が抽出されます。画像を画像のままコンピュータが扱うと「同一人物か否かの判断」に多大な時間を要し、スピーディな本人確認が実現できません。そのため情報量を圧縮し判定を容易にするために、顔画像を数値データとしての特徴量に置き換えるのです。この特徴量の設計次第で、顔認証システムの精度とスピードが大きく変わってきます。

そして第3の機能である顔照合は、照合画像から抽出された特徴量と、データベース上の登録画像から抽出された特徴量を比較し、同一人物であるか否かを最終判定します。

――情報量が豊かだからこそ、本人確認に「顔画像」を使う

顔認証では、本人の顔とデータベースにある顔画像とを照合して、同一の本人かどうかを判定することについては前に述べたとおりですが、この顔画像には、どのくらいの情報が詰まっているのでしょうか。顔画像の情報量を考えてみましょう。

たとえば、パスポート用の写真を例に取ると、サイズは3・5cm×4・5cmです。画像の解像度（画像が細かいか、粗いかを表す尺度）によってもデータ量はかなり違ってきます。

画像を拡大していくと、たくさんの点が並んでいることがわかります。解像度は、こうした点が1インチ（2・54cm）の範囲にいくつ詰まっているかを表す「dpi」（ドット・パー・インチ、インチ当たりのドット数）で示します。

今回は、この解像度を仮に300dpi（1インチに300個の点が並ぶ細かさの画像）とします。すると、3・5cmには413個、4・5cmには531個の点が並ぶこ

とになります。したがってパスパート用写真のサイズの画像には、413×531＝21万9303個の点が詰まっていることになります。この点を「画素」もしくは「ピクセル」と呼びます。

一つひとつの画素は、白か黒かだけでなく、色もあります。色は赤、緑、青の3原色を混ぜ合わせて作られます。1色の濃淡が256段階あるとするのが一般的ですから、1画素ごとに、赤256×緑256×青256＝約1677万色以上の中のどれかになります（1画素の色を表す（赤＝128、緑＝255、青＝196）の数字の組み合わせを「画素値」といいます）。通常、私たちがフルカラーと呼んでいるのは、この約1677万色以上を指します。

これほど多くの色の違いを区別するためには、約1677万通りに表現できる情報量が必要になります。単なる黒い点があるかないかだけなら、2通りの表現で事足りますが、フルカラーの画素となると、約1677万通りの表現が必要なのです。その情報量は、コンピュータ用語で言えば3バイトが必要です。でもこれは、たった1つの「点」の話です。先ほど見てきたように、パスパート用写真のサイズには、この点が21万9303個入っているので、結局、3バイト×21万9303＝65万7909バイト。漢字やひらがなは、1文字で2バイト必要ですから、約33万文字相当の情報量が顔には詰まっていることになります。新聞朝刊1日分が40万字ほどですから、それよりは少ないですが、それでも顔の画像にはずいぶん多くの情報が詰まっているのです。

先ほど「指紋認証」は、指紋を形づくる線の末端部分や分岐点、線と線の間の距離が人によって異なる点に着目して本人を確認すると説明しました。一方、「顔認証」は、顔面に表れる特徴点（たとえば、鼻頭の位置、目の端点、唇の端点など、本人の身体的な特徴が顕著に特徴として表れる点）の重なり具合や位置、特徴点同士の相対的な位置関係だけで本人確認をするわけではありません。これが「指紋認証」との違いです。

現在の顔認証は、画像そのもの、具体的には、先ほど赤・緑・青の組み合わせのところで触れた画素値を利用しています。実際、この情報量をどのように処理しているかは、第2章で説明します。

――本人確認に「顔画像」を使うようになったのは、スパイ防止のため!?

世界どこでも通用する最高の身分証明書といえば、パスポートではないでしょうか。ところが、その最高峰と考えられるパスポートも、初期は写真がついていませんでした。

イギリスのパスポートを例に取ると、その歴史は15世紀にまでさかのぼります。それから1857年までは、外務大臣の署名があるのみで、顔や容姿に関する記述は一切ありません。

それに先立つ1835年、ベルギー政府が、パスポートには身長や目の色など所有者の物理的な説明を含めようとイギリス政府に要求を突きつけました。しかし、イギリス外務大臣のパーマストン卿は、「品位を傷つけるものであり、攻撃的」だとして、その要求を拒否したのです。つまり外見の情報を記載すること自体、本人に失礼だというわけです。

次ページの写真は、幕末の1866年（慶応2年）に発行された、現存する日本最

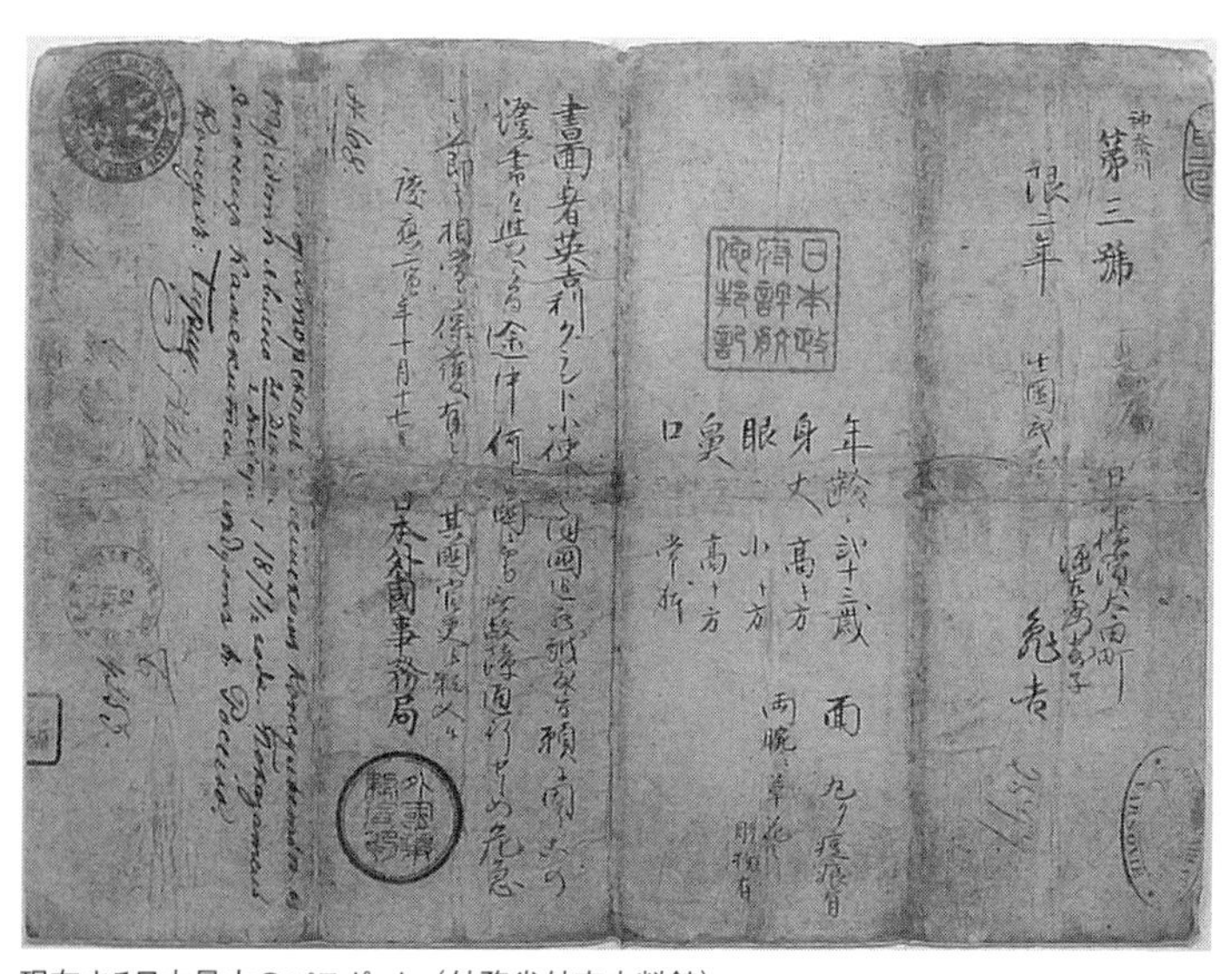
神奈川
第三號
限二年
亀吉
年齢 弐十三歳
身丈 高キ方
眼 小キ方
鼻 高キ方
口
慶應三年十月十七日
日本外國事務局

現存する日本最古のパスポート（外務省外交史料館）

古のパスポートです。「亀吉」という当時23歳の曲芸師のもので、その容貌について、身長は「高き方」、目は「小さき方」、鼻は「高き方」、顔は「丸く痘痕（あばた）有り」と記載されています。今となっては、その程度の記述でどうやって本人と確認できたのか不思議な気もします。

その後、写真なしで通用してきたパスポートも大きな転機を迎えます。第一次世界大戦に突入する1914年ごろのイギリスでは、ドイツのスパイ活動に対する懸念が高まっていました。パスポートに写真や容姿の説明がないことがスパイが容易に入国できる抜け穴になっているのではないかという指摘でした。

第一次世界大戦が終結した翌1920年、当時の国際連盟がパスポート標準化を決定します。そのころの規則では、パスポートの写真のサイズは単に「小さい」と規定されていたそうです。しかし、1941年には「インチ」で具体的に指定されるよう変更になりました。

現在では、国際民間航空機関（ICAO）によって、パスポートの国際規格が定められています。所持者の顔写真、国籍、氏名、生年月日、性別が記載されるほか、旅券番号や発行年月日、有効期限、発行機関も記載されます。さらに、外国に入国する際、入国審査官がパスポートの写真と本人の顔を見比べて、本人かどうかを確認している光景はお馴染みのものとなりました。

ご存知のように、日本のパスポートは長いもので10年間有効です。すると、10年前の顔写真と今の顔を比べて、本人かどうか確認するケースもあるわけです。パスポートにある10年前の顔画像と現在の顔の比較は簡単でしょうか。経年変化がある場合でも、本人か他人かを容易に区別できるのでしょうか。

――人による認証VSコンピュータによる認証

ここで次のクイズに挑戦してみましょう。

第1問は、左側の人物（著者の若いころ）と同じ人物を右側から1人選ぶ単純なクイズです。何十年もの歳月を経ています。意外に簡単かもしれません。

第2問は、同じく子供のころの写真との比較です。これは難しいかもしれません。

第3問は、照明条件と顔の向きがある写真です。いかがでしょうか。

第4問は、成人の写真を手がかりに、子供のころの顔を割り出すクイズです。

正解（第1問：C、第2問：B、第3問：A、第4問：A）

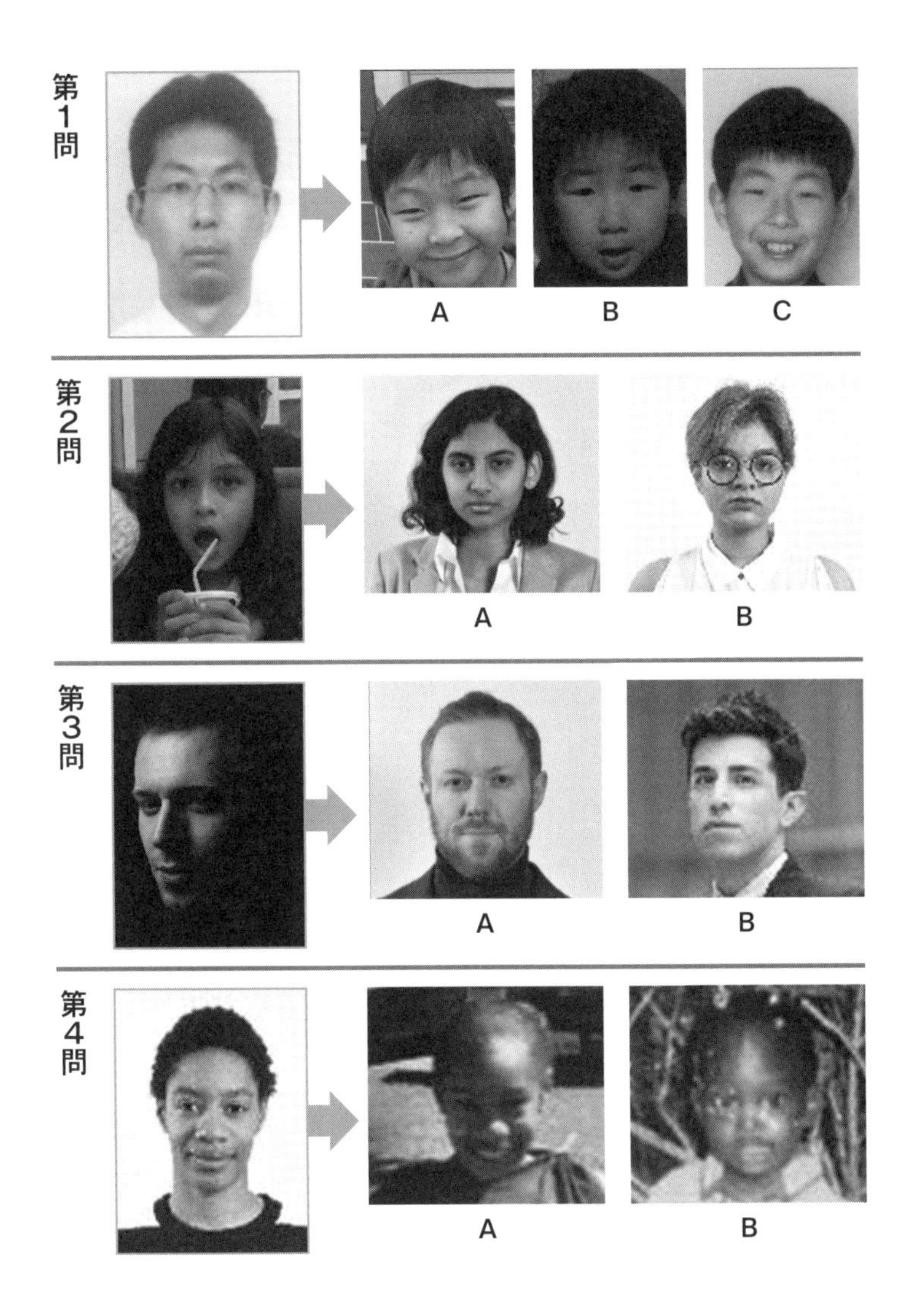
第1問
A
B
C
第2問
A
B
第3問
A
B
第4問
A
B

――コンピュータによる「顔認証」、人による認証との共通点と違い

コンピュータによる顔認証と、人による認証の比較のクイズを試していただきました。みなさんの成績はいかがだったでしょうか。すべて、コンピュータによる現在の顔認証技術で正解できるものです。

コンピュータによる「顔認証」と、人による認証の方法に本質的な共通点はあるのでしょうか。また、コンピュータにしかできないことは何なのでしょうか。

私が顔認証技術を開発するときには、脳科学の知見を参考にしています。そこで、ごく一部ではありますが、脳が人の顔をどのように認識するかについて、大まかなエッセンスを説明します。

――視覚情報の大まかな流れ

脳の表面には大脳皮質と呼ばれる薄い層があります。「脳」と言われて多くの人が思い浮かべるような多くのしわや溝がある部分です。その厚さは部位によって違いま

図表1-5
脳の図

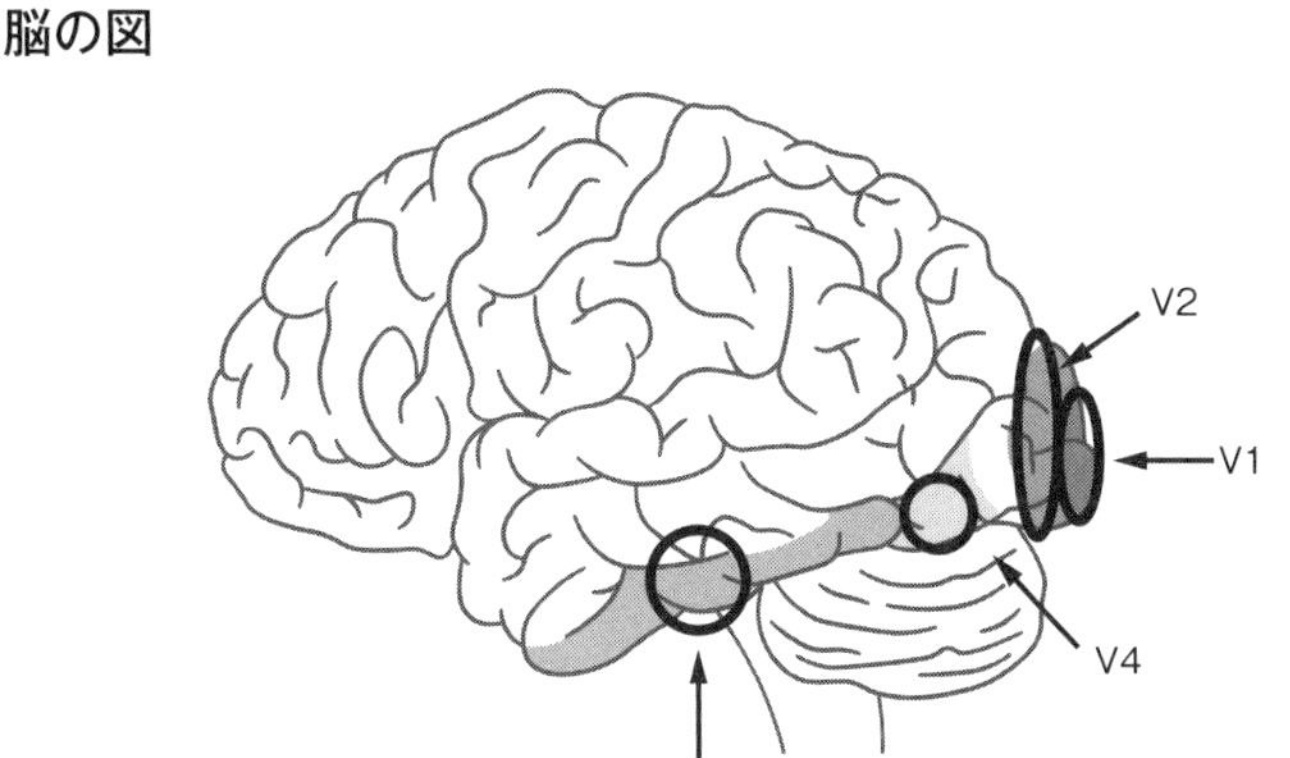

すが、2・3〜2・8㎜なので、思ったよりも薄いかもしれません。大脳皮質には100億以上の神経細胞があり、高次の認知機能が営まれています。部位ごとに特定の機能がピンポイントで配置されていると言われています。そのような機能のひとつに視覚をつかさどる視覚野があります。

視覚野は、V1と略される一次視覚野と、V2、V3、V4、V5などと呼ばれるその他の部分に分かれます（図表1-5）。私たちが何かを目にすると、外から入ってきた光は網膜に達した後、その刺激が電気信号に変換され、「外側膝状体」と呼ばれる部位を経由して、大脳

図表1-6
人間の目の構造

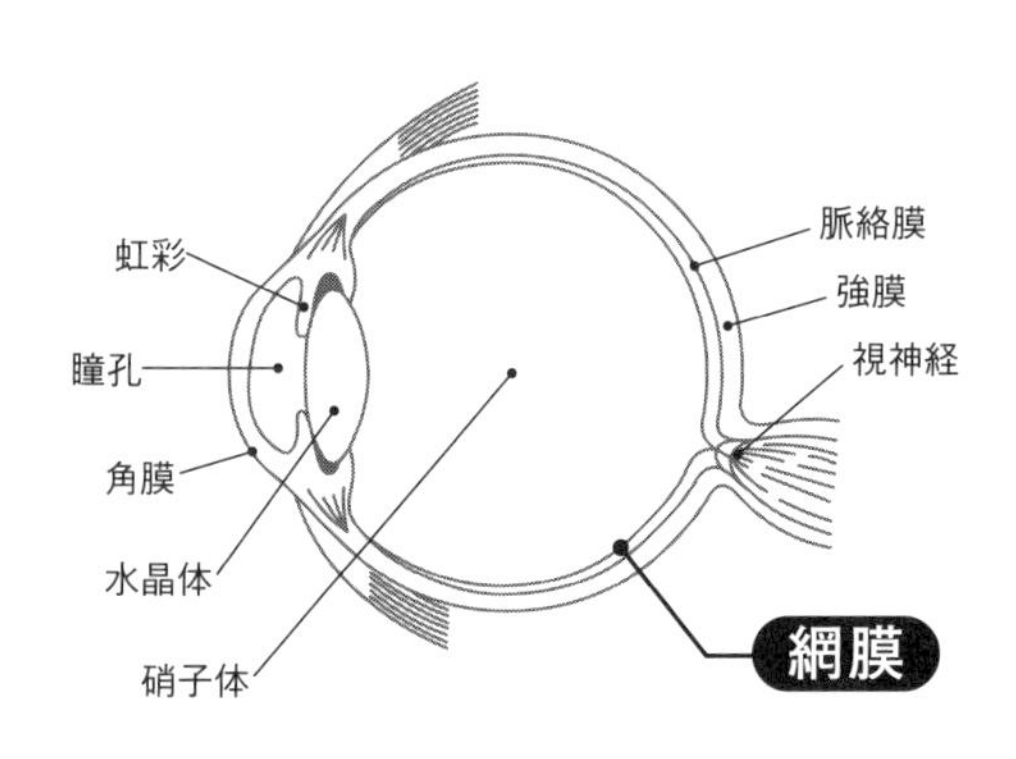

皮質にある一次視覚野（Ｖ１）に至ります。Ｖ１に伝達された視覚情報のうち認識や形状の知覚に関するものは、「Ｖ１↓Ｖ２↓Ｖ４」と順番に伝達されます。

この処理過程は、比較的単純な処理から始まり、段階を進むごとに、より高度で複雑な処理をすると言われています。後過程に進むほど処理方法の詳細は、未解明の部分が多く残っています。人間の脳が人の顔を認識するとき、どのような知覚処理が行われているのか、コンピュータによる顔認証（画像処理）との共通点や違いとともに、段階を追ってみていきましょう。

――網膜の役割

外界から入ってきた光刺激はまず網膜に入ります。人の目はカメラのような構造を持っていて、網膜はカメラでいうとフィルムに相当する部分で、デジタルカメラではCCDセンサーです（図表1－6）。網膜の細胞は、細胞自体で光の強度のダイナミックレンジを補正する機能を持っており、光の刺激に応じて網膜の敏感さが変化する明暗順応ができる仕組みがあります。

――「一次視覚野」（V1）の機能 ～昔の顔認証の画像処理と共通部分が多い～

網膜から視覚情報を受け取った一次視覚野（V1）の役割は、局所領域ごとに線分を検出することです。

顔の場合、たとえば目、鼻、口、頬など、それぞれの領域で線分があるかどうかを検出したり、その線分の傾きを検出します。もう少し簡単に言うと、顔を似顔絵のような線画に変換して、局所ごとの線分やその傾きで、検出しているということです。人が絵画を見たときに、微妙な線の傾きの違いを認識できるのは、一次視覚野のおかげかもしれません。

脳の視覚処理でこうした線分検出が行われているもう一つの理由として、脳で処理すべきデータ量を大幅に削減することで脳の活動を省力化したり、より重要なタスクにリソースを割り当てたりするためではないかと考えられています。すなわち、線分が抽出できない領域は何も情報がない領域と見なして、処理を休むようにしていると考えられています。ちなみに、一昔前の顔認証でも、この局所的な線分検出が利用されていました。線分の処理は、たくさんの情報の中から、相対的にあまり重要でない情報を捨て去り、本質的な属性だけを情報として保持でき、後に続く処理をなるべく単純化できるというメリットがあります。

続く二次視覚野（Ｖ２）も、Ｖ１と同様、物の形の大まかな処理を行う機能があると言われています。

コラム① コンピュータによる線分検出「ガボールフィルタ」

コンピュータによるエッジ検出の方法の1つにガボールフィルタがあります。ガボールフィルタにより、脳の一次視覚野（V1）にある細胞の活動がモデル化できることが知られており、画像処理でも使われます。ちなみにガボールは人の名前です。

ガボールフィルタは図表1－7に示すように、方向性を持ったフィルタです。横方向のガボールフィルタは、局所領域ごとの横方向の線分を抽出するために利用し、縦方向のガボールフィルタは縦方向の線分を抽出するために利用します。

ガボールフィルタは、生体認証に関係が深く、顔認証では今から約20年前の2000年代の顔認証技術では、顔の特徴を抽出するためによく使われていました。また、虹彩認証では、ドーグマンによる「アイリスコード」と呼ばれるアルゴリズムにもガボールフィルタが使われています。このアルゴリズムでは、帯状にした虹彩画像に対して、ガボールフィルタを使った変換を施すことにより、虹彩の特徴を

図表1-7
ガボールフィルタによる特徴抽出

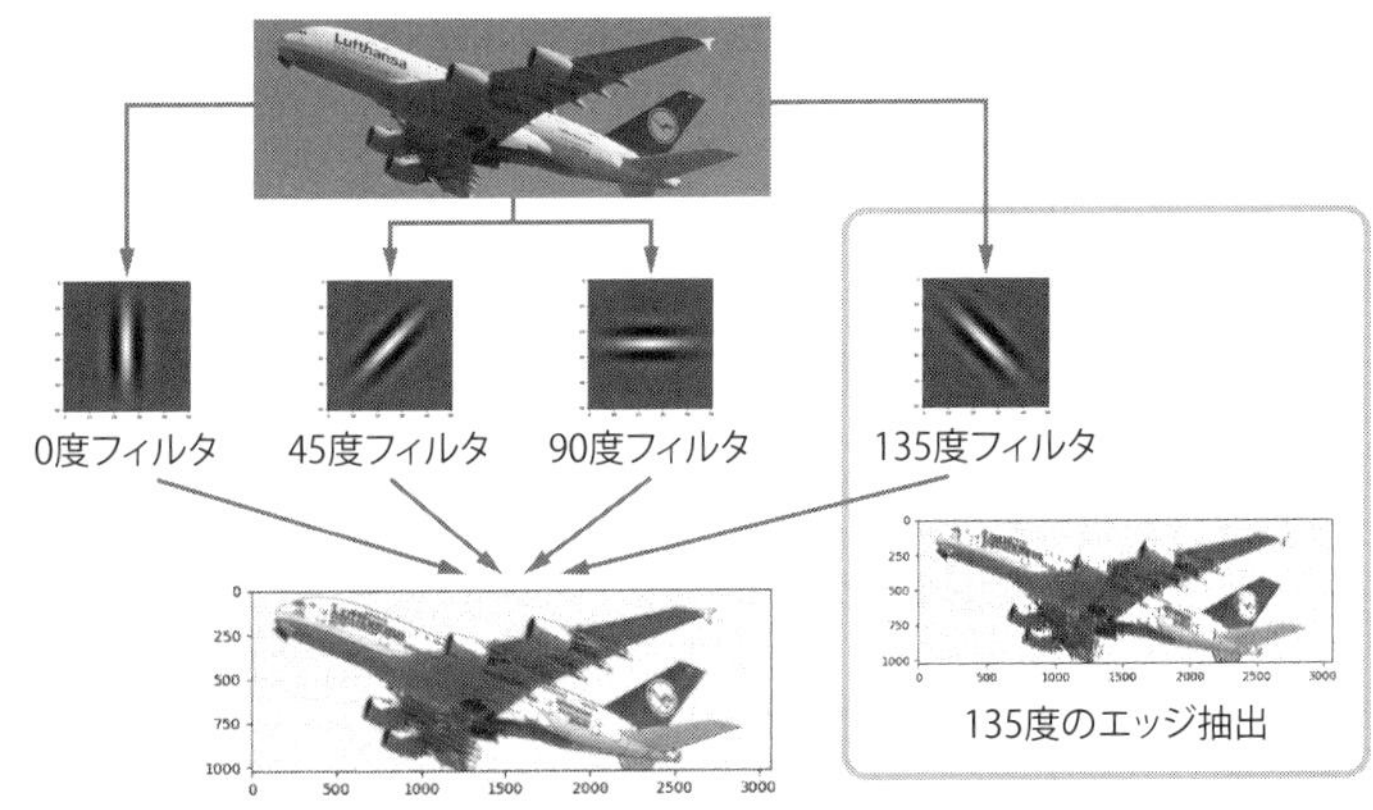

再合成(0度、45度、90度、135度のエッジ画像)

抽出します。

現在の顔認証は、第2章で説明するように深層学習を使った手法が主流です。顔画像から個人の微妙な違いを抽出するためには、ガボールフィルタのように決まった形状のフィルタを使うだけでは不十分です。深層学習では、顔のそれぞれの部位に最適になるようにフィルタを自動設計できるため、高精度化が可能であると言われています。

――四次視覚野（V4）から紡錘状回顔領域（FFA）へ

四次視覚野（Ｖ４）は、線分検出に加え、単純な幾何学的形状や複雑な図形パターンに対してチューニングする機能があると考えられています。「Ｖ１→Ｖ２→Ｖ４」と伝達された後、顔を知覚し、「この顔は誰の顔か」というアイデンティティの判断を行うのに重要な働きをしているのが、紡錘状回顔領域（ＦＦＡ）と言われています。

実はサルの脳にもこれに相当する領域があり、詳しい情報処理プロセスの研究が進められています。この領域を「顔パッチ」と呼びます。

顔パッチには、さらに６つの領域があり、以下の順番で情報が処理されます。

１つめは、「目」に反応する領域です。目を手がかりとして顔情報の処理を行います。輪状のフィルタを用いて目を検知すると言われています。

２つめから５つめの領域は、顔の向きに反応する領域です。顔が正面から何度ずれているのか、正面から見て左右どちらに傾いているかを判断します。

６つめの領域には、誰の顔かを最終的に識別する機能があります。

コンピュータによる顔認証でも、似たようなアプローチをとる場合があります。たとえば、輪状のフィルタを使って、目を探してから、顔を検出する方法があります。また、本人認証する場合も、顔向きを検出してから、顔向きごとに処理を実行し、最後にその結果を統合する方法があります。実は、コンピュータと人の処理の仕方は似ているのかもしれません。

――本人確認の方法は、脳とコンピュータでほぼ同じ⁉

ここまで脳が顔をどのように知覚するのかをステップごとに説明しました。

では、脳が知覚した顔が「本人である」「他人である」「誰々である」と判断する方法は、どうでしょうか。この本の主題である顔認証を脳内ではどうやっているかについてです。脳とコンピュータでほぼ同じものなのか、それともまったく異なるものでしょうか。

これまで長年にわたって定説とされてきたのは、特定の人を見ると特異的に反応する「顔細胞」があるため、顔細胞の反応によって、個々の顔を見分けられるというものです。

図表1-8
顔からどのサルかを判断する

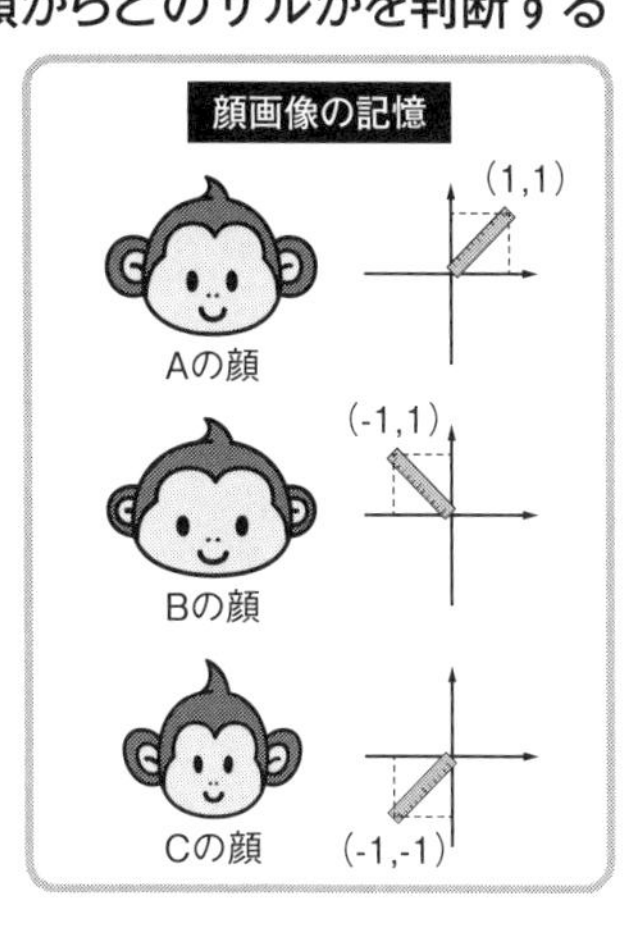

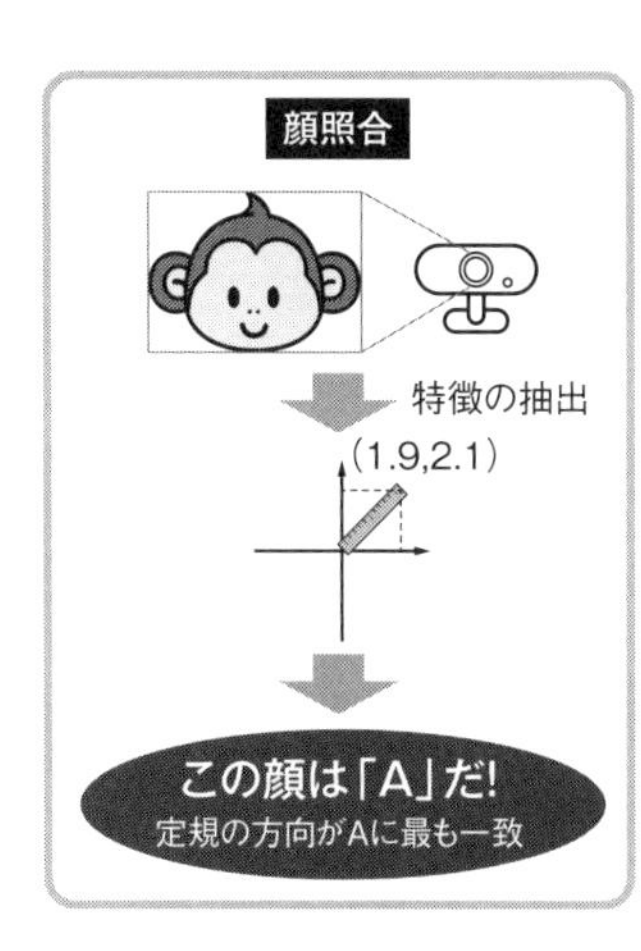

ところが、最近の研究により、この定説を否定する見解が出てきました。これはサルの脳の研究に基づくものです。図表1－8を使って説明します。

サルの脳では、記憶の中にあるさまざまな顔画像について、顔の特徴を区別するための定規のようなものがあるそうです。そして、目の前に現れた顔と、この定規が一致するのかどうかを判断しているらしいことがわかってきました。先ほど「定規のようなもの」と書きましたが、通常の定規のように長さだけを測る道具ではなく、複数の数字を並べたベクトル量を測る定規と考えてください。たとえば、二次元座標に（x,y）＝（1,1）をとれば、原点から右上45度の方向になります。

たとえば、あるサルは、別のサルAの顔に対しては、(1,1)という方向を持った定規、サルBの顔に対しては(-1,1)という同様の定規、サルCの顔に対しては(-1,-1)という定規をあらかじめ記憶に持っています。方向を持つ定規の軸(この例ではx軸、y軸)は個体差があり、共通のものではありません。

さて、この状態で、あるサルの顔を見かけたとします。すると、脳にある顔細胞が情報を加工して、たとえばこのサルの顔の特徴は(1.9,2.1)であると算出します。すでに記憶の中にサルA、サルB、サルCの定規があるので、これを当てはめていくと、サルAの定規が持つ方向と最も一致した場合、今見たサルはAであると考えられています。これが、サルの脳での処理であるとする説が有力視されている理由です。

実は、第2章で説明する顔認証の仕組みもほぼ同じような数式(詳しく説明すると、三角関数「サイン」「コサイン」「タンジェント」の「コサイン」に似たもの)を用いて、本人確認を行っています。これも脳とコンピュータのよく似た部分です。

——仕組みがわかれば、コンピュータによる本人確認も恐るるに足らず

本章の後半では、脳とコンピュータがそれぞれ本人認証をするときに用いる方法に共通する部分は何か、異なる部分は何かということを中心に説明しました。

視覚情報を処理する際の脳の働きには、未解明の部分が多く残されていますが、人やサルの研究を眺めてみると、コンピュータによる本人認証と多くの共通点があることに気づかれたのではないでしょうか。ブラックボックスだと思っていたコンピュータによる認証も、脳の仕組みと共通な部分が多いとわかると、より安心して利用できるのではないでしょうか。

私たちが開発した顔認証技術も、人間の神経細胞の仕組みを再現したニューラルネットワークを多層構造にした深層学習という手法を使っています。第2章では、その仕組みを簡単に説明します。

コラム②

脳神経科学との融合で顔認証を高速化する画期的AIの開発

この章の後半は、NEC一押しの若手研究者、海老原章記さんの協力により書き下ろしたものです。海老原さんは、生物・医学系で世界屈指のロックフェラー大学（アメリカ）で生物学博士号を取得、同大学で脳科学・神経科学の最先端の研究を続けたのち、2016年にNECへの参画を決心してくれました。

入社後初めてAI開発に本格的に取り組んだとは思えないほど、圧倒的な成果を上げています。入社わずか3年で人工知能の難関国際学会に論文がいくつも採択され、2020年の生体認証の難関国際学会では、Google Best Paper Awardを受賞しています。2021年のAIの難関国際学会では、投稿論文上位5%のみに与え

海老原章記さん

られるSpotlight Presentationに採択されています。

彼が開発したのは、時系列データのリアルタイム分析を高速化する「SPRT-TANDEM」というAIです。顔認証やサイバー攻撃の検知・分析に適用した場合、同等の精度を維持しながら処理スピードを最大20倍高速化することが期待される最先端の技術となります。「エビデンスの強弱が多様かつ断片化された情報を総合評価して、できるだけ速く、正確に判断を下さなければいけない」といった、「早押しクイズ」にも似た複雑な意思決定を行う際に見られる脳活動の知見を応用しています。これにより、すべてのデータの蓄積を待たず、データを取得しながら同時に分析する「オンライン処理」により、圧倒的な分析の高速化を実現しました。

第2章

AIと顔認証技術

――この章のねらい　なるべく数式を使わず、AIや顔認証の仕組みを深く知る

この章では、技術に詳しくない方でも、そもそもＡＩ（人工知能）がどのように顔を捉え、どのように本人かどうかを確認しているのかについて基本的な考え方をつかんでいただけるように、ＡＩによる顔認証の基本をご紹介します。

ＡＩのことを知らない人でも、苦手意識を持っている人でも理解できるように、ＡＩそのものやＡＩによる顔認証についてなるべく丁寧に、しかもなるべく数式を使うことなく説明しました。

なるべく簡単にいろいろな方々に顔認証の基本的な仕組みを知っていただくことで、「だったら、こんなことにも使えるのでは？」とか「社会にこのようなルールを作っておいたほうがいいのでは？」について一緒に考えるきっかけにもなると思います。

わかりやすくするために、厳密性を犠牲にしている部分もあります。興味を持たれた方は専門書を読んでいただけると幸いです。

――この章の概要

この章は、技術の話ばかりで読みにくいかもしれませんので、はじめに概要を示しておきます。

第1節では、ＡＩとは何かについて説明します。ＡＩとは、入力データから望ましい出力データが得られる機械のようなものです。入力データである数値を望ましい出力データに数値変換する仕組み、数値変換に必要な重みを決定する方法がポイントです。

第2節では、ＡＩの内部構造であるニューラルネットワークや深層学習（ディープラーニング）について説明します。深層学習によるＡＩの強みは、手作業では複雑すぎてできない、あるいは、人間の脳ではとても思いつかないような、予測や分類のルールを、コンピュータが自動設計するところにあります。こうした設計をコンピュータに行わせる方法も解説します。

第3節では、第2節で説明した方法が実際にどのように応用されるのかについて簡単な画像認識ＡＩを例に使って解説します。顔認証は、顔画像を使う画像認識ＡＩの一種です。画像をＡＩにどうやって入力し、コンピュータがＡＩにどのように自動設計させるかなどを説明します。

第４節では、いよいよ画像認識ＡＩを使った顔認証アルゴリズムの説明です。顔認証を行うために少し複雑な方法をとっています。

第５節では、顔認証システムの運用方法や、その性能を評価する仕組みを説明します。

第６節は、生体情報を保護するための最先端技術についてです。顔認証システムに必要不可欠な事柄ですので、ぜひご一読ください。

第７節は、顔認証の歴史です。肩の力を抜いて読んでいただけるかと思います。

1 AIとは何か

最近、「AI」はその言葉を耳にしない日がないほど、大きな話題になっています。ちなみに、AIはArtificial Intelligenceの略で、日本語では「人工知能」になります。画像認識や顔認証など、コンピュータが「目」となって何かを認識するうえで、AIは大きな役割を果たしています。「目」の代わりとしてだけでなく、人間が行う作業や判断をコンピュータが支援するためにAIは開発されました。AIは画像だけでなく、数値データ、音声、言語も扱うことができます。

AIは、人工知能学会のホームページにおいて、「知的な機械、特に、知的なコンピュータプログラムを作る科学と技術」と説明されています。このように幅広い意味を持つAIですが、本書では、AIの中でも、〝コンピュータによる学習〟という意味である「機械学習」に絞って解説します。その中でも、本書の主題である顔認証で使われている「教師あり学習」という学習方法を対象にします。主な学習方法については、75ページのコラム③で説明しますので、詳しく知りたい方はご一読ください。

――入学試験の例

入学試験の例を用いて、AIとは何かを説明します。英語と数学の2科目がある入学試験について考えてみましょう。受験するのは英語が得意なAさんと数学が得意なBさんです。英語も数学も満点が100点だとしましょう。

Aさんは、数学で半分正解したので50点、英語で9割正解したので90点。合計点は140点です。一方、Bさんは、数学で8割正解したので80点、英語は半分しかできず50点で、合計は130点です（図表2‐1）。1人だけ合格できるのであれば、合計点で勝るAさんが選ばれます。

あなたは校長で、数学力の高い生徒に来てもらいたいのですが、英語もできないと困ると考えているとします。ですが、前記のような試験結果では、Aさんが合格することになります。数学の成績だけを見れば、Aさんは半分しか正解しておらず、Bさんは8割正解なので、数学力のあるBさんのような生徒に入学してもらいたいのです

図表2-1
数学と英語の点数と合計点

	数学（半分正解）	英語（9割正解）	合計
英語が得意なAさん	50点	90点	140点

	数学（8割正解）	英語（半分正解）	合計
数学が得意なBさん	80点	50点	130点

が、今のままの採点方法では合計点でAさんが合格してBさんは不合格です。これでは希望する能力の生徒が集まりません。かといって、英語の成績を完全に無視するわけにもいきません。

そういうときは、科目ごとの満点を調整して、いわゆる「傾斜配点」という方式にしておけばいいのです。数学重視なのですから、数学の満点を150点、英語の満点を100点にしてみてはどうでしょうか。英語が得意なAさんの場合、数学は150点満点中の半分なので75点、英語は100点満点中の9割なのでそのまま90点で、合計165点となります。一方、数学が得意なBさんは、数学

図表2-2

数学150点満点、英語100点満点の傾斜配点の場合

	数学（半分正解）	英語（9割正解）	合計
英語が得意なAさん	75点	90点	165点

	数学（8割正解）	英語（半分正解）	合計
数学が得意なBさん	120点	50点	170点

が120点に変わり、英語は50点のままなので、合計170点です（図表2－2）。

すると、数学が得意なBさんが合計点で優って合格となります。このように、科目ごとに重視する度合いを「重み」と言います。この例では、数学のほうが英語より重みをつけて設定されたことになります。つまり、英語で1問解けることよりも、数学で1問解けることのほうが重み（＝価値）があるのです。英語で満点をとっても100点ですが、数学で満点をとれば150点も獲得できます。数学が得意な人にとっては有利になります。

言い換えれば、学校が入学させたい生徒に来てもらえる結果になりました。

図表2-3
入学試験の例

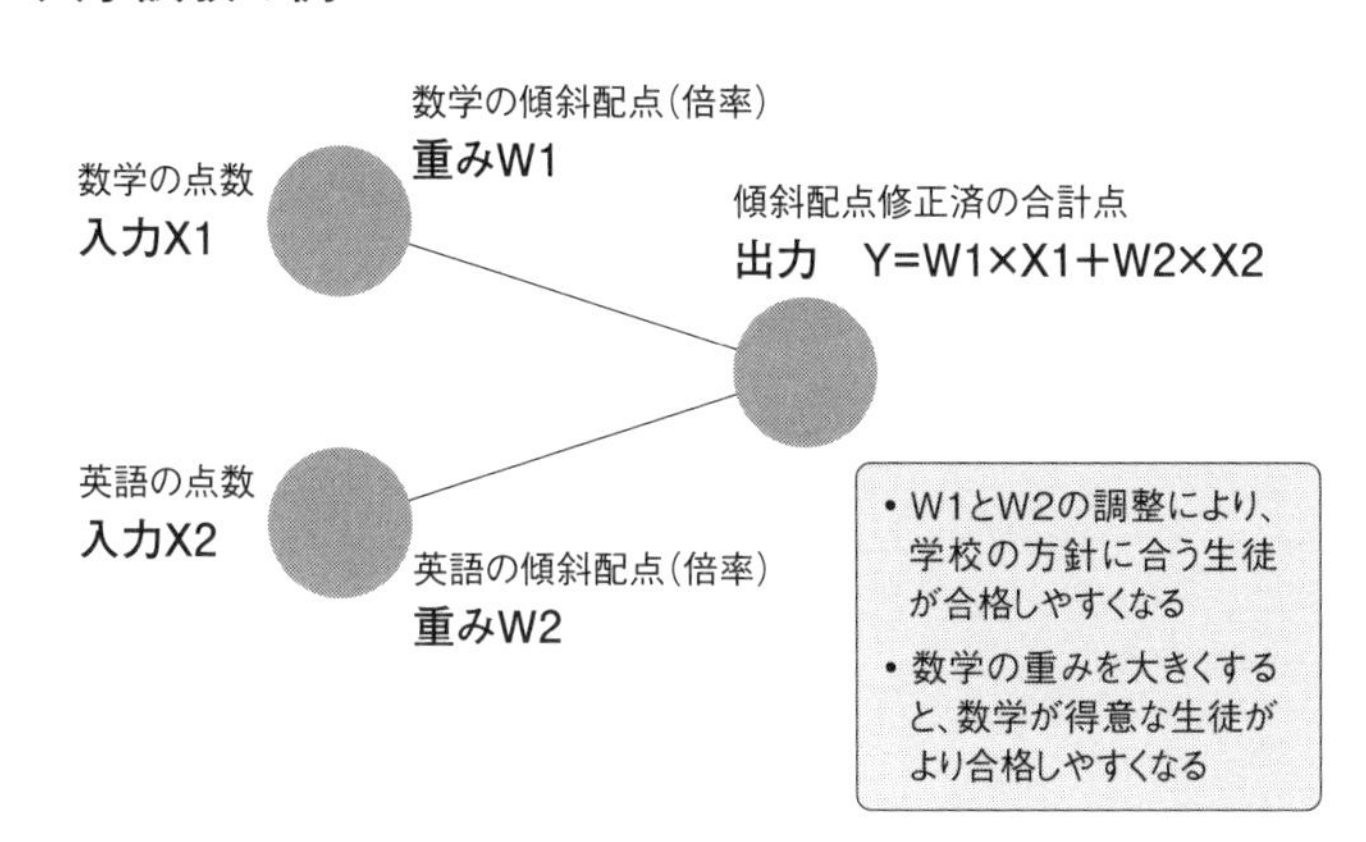

――入学試験の例をもっと一般化すると?

ＡＩによる学習とは何か、今の入学試験の例を一般化して説明します。

入学試験の例では、数学と英語の素点(100点満点)が与えられたとき、数学と英語の点数を調整して、学校の方針に合致した人を合格、そうでない人を不合格と自動的に判定する機械を作ることです。

例では、数学を重視するために、数学の点数を1・5倍、英語の点数は素点のまま(1倍)とする傾斜配点としました。

要約すると、図表2－3のようになりま

す。

この図では、数学の素点（１００点満点）をＸ１、英語の素点をＸ２とします。これは、あらかじめ与えられた入力値であって、勝手に変えることはできません。

一方、学校の方針に合う生徒像をもとに、誰を合格にするか、誰を不合格にするかは、傾斜配点のルール次第です。数学の点数を１・５倍、英語の点数を１倍としましたので、数学の重みをＷ１＝１・５、英語の重みをＷ２＝１として、評価指標は、総合評価Ｙ＝数学の重み×数学の素点＋英語の重み×英語の素点＝Ｗ１×Ｘ１＋Ｗ２×Ｘ２とします。総合評価値Ｙの値が高い人から合格としていきます。

この判断をＡＩに任せることを考えます。このときのイメージは図表２－４になります。

数学と英語の素点が与えられたとき、ＡＩが自動的に合格か不合格かを決めます。このとき、傾斜配点の重みＷ１、Ｗ２は人間が恣意的に決めるのでなく、「この点数なら合格にしたい」「この点数なら不合格でいい」と過去に判断した結果を「正解」とラベル付けしたものとあわせて、コンピュータに学習させます。

それにより、学校の方針にできるだけ合った重みＷ１、Ｗ２をＡＩが自動設計しま

図表2-4
入学試験の例の抽象化

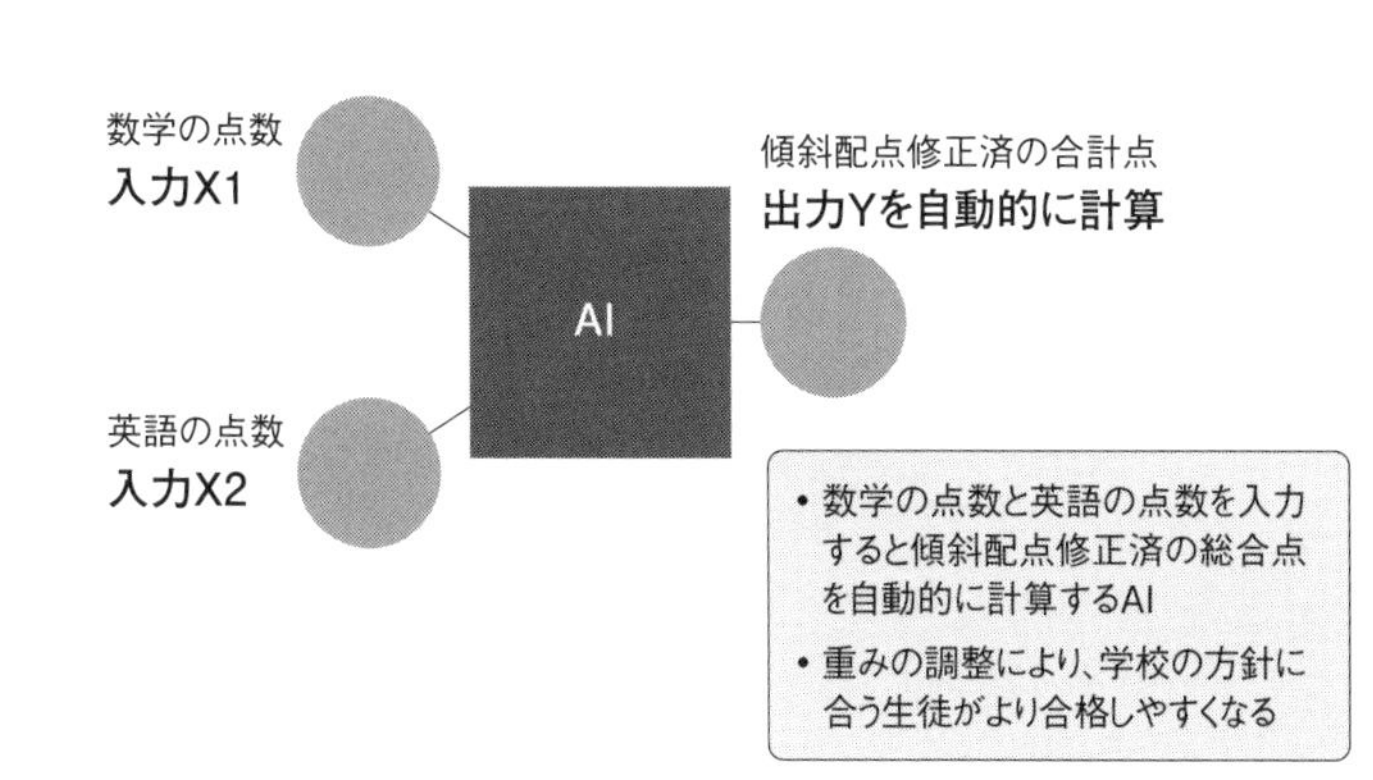
数学の点数
入力X1
英語の点数
入力X2
AI
傾斜配点修正済の合計点
出力Yを自動的に計算
• 数学の点数と英語の点数を入力すると傾斜配点修正済の総合点を自動的に計算するAI
• 重みの調整により、学校の方針に合う生徒がより合格しやすくなる

す。過去の「この人は合格」「この人は不合格」といった判断を正解としてコンピュータに学習させればさせるほど、この合否判定するＡＩは、より学校のポリシーに近い判断をするようになります。

――複雑な判定を行うＡＩ

これまでの入学試験の例は、入力が数学と英語の点数しかない、あまりにも単純な例ですので、「わざわざＡＩを使わなくても……」と思われたかもしれません。しかし、この考え方を応用すれば、さらに学校の方針に合うような、合格・不合格を判定する機械をつくることも可能です。

たとえば、数学の計算問題ごと、あるいは証明問題ごとに詳細な傾斜配点を設定し、「この問題とあの問題の両方が解けた人にはボーナス点を与える」といった複雑な採点ができれば、もっときめ細かな判定が可能になります。しかし、手作業でこのような採点ルールをつくり上げようとすると、採点作業が煩雑になりすぎて、とても現実的ではありません。

この場合、各受験生の小問ごとの正答・誤答を教師が見て、合格か不合格かを判定し、この情報をコンピュータに読み込ませます。すると、コンピュータは合否を自動判定するＡＩを自ら設計します。その際、入力（数学や英語の小問ごとの点数や正答・誤答の状況）と出力（教師による合否判定）のデータから、望ましい出力（教師の合否判定と同じような結果）が出てくるようにします。後日、別の新たなデータに対して、新たな入試結果と合否判定があれば、その情報もコンピュータに読み込ませて、ＡＩをさらにチューニングしていきます。こうすることで、学校が理想とする生徒を選び出せるＡＩにますます近づいていくことになるわけです。

――AIの本質

AIをさらに抽象化して理解しましょう。

AIの目的は「ある入力データを与えたとき、望ましい出力データを生成する」ことにあります。

箱の入り口からAというものを入れたら、出口からBというものが出てきたとすれば、箱の中では、そうなるように配線した仕組みが存在することになります。入力データと出力データの間の〝配線〟をさまざまにつなぎかえる試行錯誤を繰り返し、できるだけ望ましい出力データになるような機械へと近づけていくわけです。それゆえ、「学習データをもとに入力と出力をつなぐ配線をつなぎかえることで、入力から望んだ出力が得られるようにした機械のようなもの」がAIの本質と言えます（図表2－5）。

AIを知るうえで覚えておいていただきたいことに、「学習」と「推論」があります。

「学習」とは、入力に対して、望ましい出力データが得られるように、内部の配線

図表2-5
機械学習としてのAIの本質

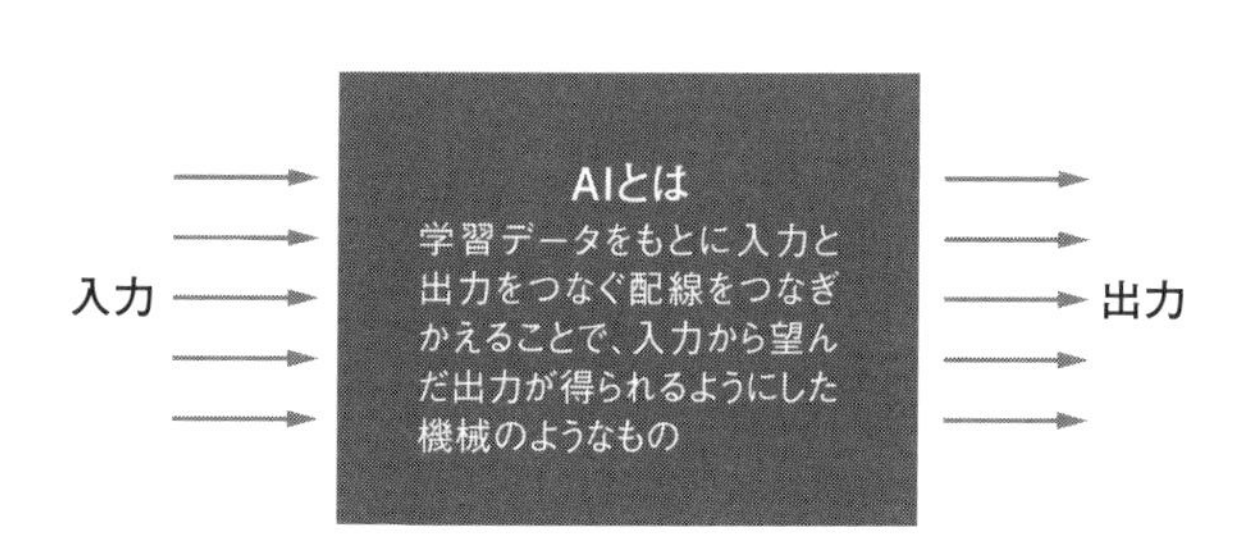
入力
AIとは
学習データをもとに入力と
出力をつなぐ配線をつなぎ
かえることで、入力から望ん
だ出力が得られるようにした
機械のようなもの
出力

を試行錯誤しながら、つなぎかえる作業を指します。この試行錯誤の段階で使う入力データと出力データは、本番ではなく、予行演習で使われるデータなので、「学習データ」といいます。先ほどの入学試験の例では、過去の入試の数学や英語の点数が学習の入力データに当たります。過去に学校が行った合格・不合格の判断は、学習の出力データに相当します。

もう1つのキーワードである「推論」とは、思考錯誤の末につくり上げたＡＩを実際に本番で利用して、入力データから出力データを得ることです。入学試験の例に当てはめれば、入力データは、本番の入試データです。出力データは、Ａ

図表2-6
「学習」と「推論」の違い

	やること	使うデータ
学習	入力データと出力データの間の内部の配線を試行錯誤によりつなぎかえ、AIをチューニングする	学習データ（正解付きの入力データと出力データ）
推論	学習済みのAIを実践で利用し、出力データを得る	本番データ

Ｉが実際に判定した合格・不合格という、本番の判断結果です。

つまりＡＩにとっては、予行演習に当たるのが「学習」、本番に当たるのが「推論」であり、それぞれに使われるデータも、まったく異なります（図表２－６）。

スポーツの世界で、バラエティに富むさまざまな事例を予行演習として経験したチームは本番に強く、予行演習の経験が少ないチームは本番に弱いものです。予行演習の経験が少ないチームはイレギュラーな事態に対応できないことが多々あります。ＡＩも同様です。バラエティに富む大量のデータを学習したＡＩの性能は高く、実践で未知のデータを入力すると、望ましい出力を的確に得ることができます。

ＡＩについて中身を知らなくても、実は、入力と出力の関係を理解していれば大概のことを理解することができます。もしわからなければ、次の節を飛ばして入力と出力の間をブラックボックスとして、理解していただいてもかまいません。

ま と め

・AIの本質

学習データをもとに、入力と出力をつなぐ配線をつなぎかえることで、入力から望んだ出力が得られるようにした機械のようなもの

・「学習」と「推論」の違い

AIにとって、予行演習に当たるのが「学習」、本番に当たるのが「推論」

コラム③ AIを実現するための学習手法

AIを実現するための学習手法として、大きく分けて、「教師あり学習」「教師なし学習」「強化学習」の3つがあります。本コラムではこれら3つの手法を紹介します（図表2－7）。

Ⅰ 教師あり学習

文字どおり「教師がいる」学習のことです。たとえば、リンゴとミカンの絵をAIが見分けられるようにするには、どうすればいいでしょうか。AIに学習させるときに、いろいろな種類のリンゴやミカンの絵を見せながら、「これはリンゴ」「こちらはミカン」といった具合に、生徒であるAIに学習させていきます。もしAIが順調に学習していれば、初めて見た絵でも、AIはリンゴとミカンを正しく見分けることができます。

学習のときには、教師が与える学習データ（学習用のデータとその答え）が必要

図表2-7
機械学習の種類

学習方法	AIのはたらき	どのように利用されるか
教師あり学習	正解ラベル付きの大量データをコンピュータが学習	クラス分類問題や回帰問題 顔認証も教師あり学習を利用
教師なし学習	正解ラベルなしの大量データをコンピュータが学習	データのグルーピングや次元削減
強化学習	試行錯誤を通じて未来の「価値を最大化するような行動」をコンピュータが学習	ロボットや自動運転車の制御

です。学習データを用意すれば、いろいろな課題に対する学習が可能です。学習データは、人が時間をかけて作成します。学習データはたくさんあるほどいいのですが、作成にはそれなりに手間がかかるうえ、時には間違った学習データや答えが紛れ込むこともあり（現実の世界でも教師が勘違いすることはありますよね）、学習データのつくり方も重要なポイントになってきます。

一方、本番では、教師は不要で、正解が与えられていないデータで判断します。うまく学習できている場合には、AIは正しく判断できますが、未知のデータなので、必ずしもＡＩが正しく判断できるわけではありません。その場合には、間違ったデータを重点的に、ＡＩに追加で学習させることもあります。

一般にイメージされる機械学習、特に深層学習（ディープラーニング）の多くは、この「教師あり学習」に当てはまります。人の話した言葉を文字として認識する音声認識技術も、音声を文字に直した学習データを大量に作成するので、「教師あり学習」と言えます。

Ⅱ 教師なし学習

読んで字のごとく、「教師がいない学習」です。「教師あり学習」と違って、人間が教師として機械に正解を与えることはありません。しかし、「学習」と名前がついているように、過去の事例などの大量のデータを学習して、データの背後にある構造や関係を抽出する用途に用いられます。「教師なし学習」の1つの方法として、「k平均法」と呼ばれるデータをk個のカテゴリに分類する方法があります。その方法をもとに、顔をどのように分類するのかを見ていきましょう。

人の顔には、丸い顔、面長の顔など、いろいろな種類があります。これは人が考えた分類方法です。一方、「教師なし学習」であるk平均法では、学習用に大量の顔画像をＡＩに与えると、ＡＩは自ら顔の特徴を捉えて、k個の種類に分類します。「教師なし学習」と言うとおり、教師はいませんから、分類結果自体に正解はありません。しかし、学習によって顔の特徴をあれこれと探りながらk個の種類に分けたのですから、ＡＩならではの分類結果になっています。その結果を見れば、データの傾向は見えてくるので、人間にとっても何らかの形で役立ちます。

Ⅲ 強化学習

試行錯誤を通じて「価値を最大化するような行動」をコンピュータが学習するものです。試行錯誤はランダムな入力により行われ、正解は与えられません。その代わり、コンピュータに与えられるのは「状態」「行動」「報酬」です。

ゲーム「スーパーマリオブラザーズ」を自動プレイするＡＩを例に考えてみましょう。「状態」は、前方に穴があるとか、謎のキャラクターが近づいてくるとか、進行方向斜め上にブロックがあるとか、プレイヤーの周りの状態を指します。

「行動」は、プレイヤーに許されている行動を表します。「左に進む」「立ち止まる」

「右に進む」「ジャンプする」「ジャンプしない」など、行動の選択肢が与えられるのです。

「報酬」は行動の手がかりを与えるものです。右に進むとプラス1の報酬、敵を倒したらプラス20の報酬、ゴールしたらプラス500の報酬、死んだらマイナス100の罰、ジャンプしたらマイナス1・5の罰といった具合です。AIは報酬がたくさんもらえるように、試行錯誤しながら学習を進めます。その時点でもらえる報酬を最大化するのではなく、将来にわたる報酬を最大化します。このAIは、ロボットや自動運転の制御に使われています。

2　ニューラルネットワークと深層学習

——AIの中身

前節では、AIとは何かについて説明しました。ここからいよいよ、ニューラルネットワーク、ディープ・ニューラルネットワーク、深層学習など、AIの中身について説明します。

まず、ニューラルネットワークについて説明します。ニューラルネットワークは、人間の脳の働きを模倣した構造により機能します。その構造を抽象化して描くと、図表2－8のようになります。

ニューラルネットワークが入力データを受け取る場所を「入力層」、出力データを受け取る場所を「出力層」、その間のブラックボックスを「隠れ層」と呼びます。

図表2-8
ニューラルネットワークの構造

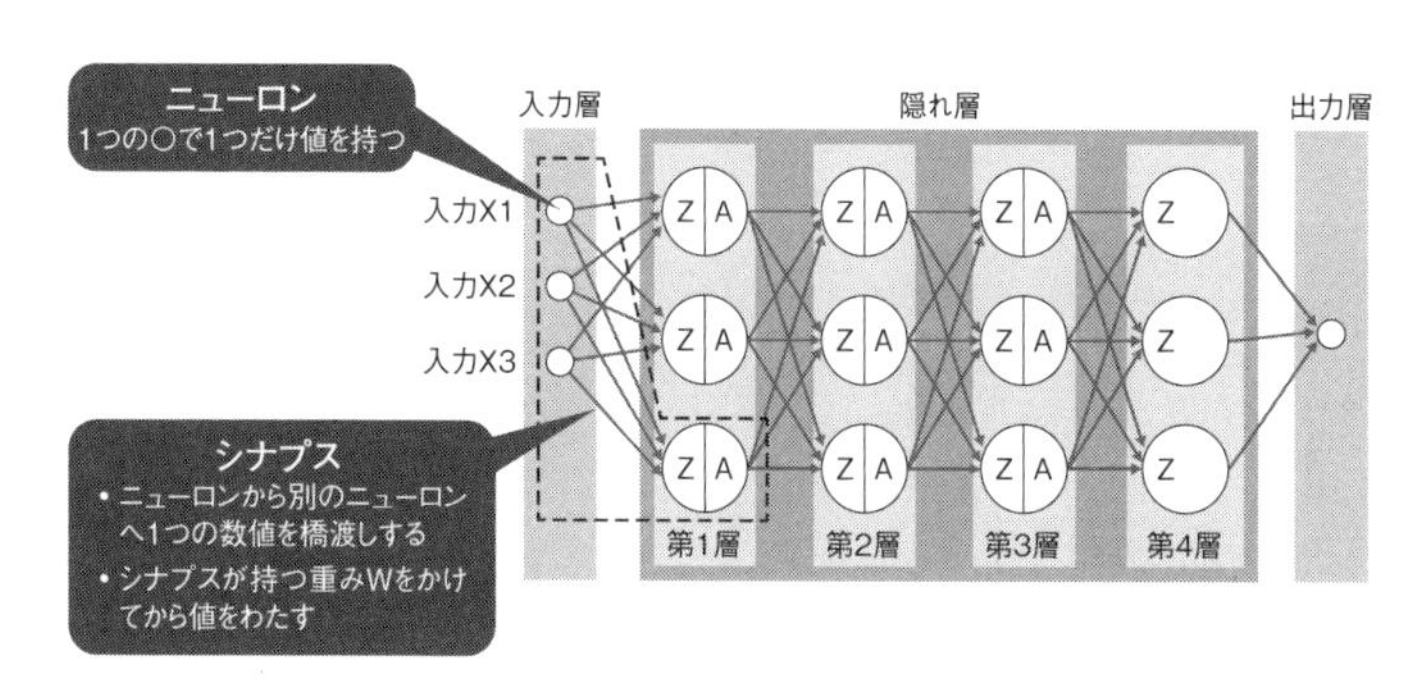

図表の中で、「入力層」「隠れ層」「出力層」にある円は、「ニューロン」と呼ばれるものです。それぞれのニューロンは数値を1つだけ持ちます。ニューロンの間をつなぐ線は「シナプス」といいます。このシナプスが前節で説明した配線にあたります。ニューロンとシナプスは脳神経科学の言葉から来ています。AIと脳神経科学の関連を詳しく知りたい方は、この後のコラム④をご覧ください。

入力層で受け取った入力データは、シナプスでさまざまに数値変換（情報処理）され、別のニューロンに次々に伝達されます。その伝達が次々と繰り返され、最終的に望ましい出力データに変換されるとイメージしてください。

具体的には、次のような数値変換が行われます。ニューロンが保持するデータは、シナプスを経由して別のニューロンに伝わるときに、重みを使ってW1×X1のように数値変換されて伝達されます。また、ニューロンが数値情報を受け取るとき、伝達された数値を統合します。統合する新たな数値をZとすると、Z＝W1×X1＋W2×X2＋W3×X3＋……となります。

ニューロンは、統合した数値Zをそのまま次の層のニューロンに送り出すわけではありません。統合値Zをもとに新たな数値Aを算定して、次の層のニューロンへの入力として送り出します（図表2－9）。このとき、統合値Zが一定のしきい値未満の場合は、発火せず、Aの値をゼロとして、次のニューロンに送り出します。統合値Zと数値Aの対応関係は、比例グラフのような一直線な関係ではなく、統合値Zの値と数値Aの関係を曲線にすることにより、入力の変化に敏感で、しかも複雑な入出力が可能な機械のようなものをつくるのです。

ニューラルネットワークの内部の配線は、ニューロンの持つ値をシナプス経由で伝達する際の数値変換に使う重みによって特徴づけられます。ニューラルネットワーク

図表2-9
ニューロンの構造

中間出力　Z＝W1×X1＋W2×X2＋W3×X3

入力層の（X1,X2,X3）の値はシナプスを伝わるとき
W1,W2,W3をかけて、それを足したZの値に変換される

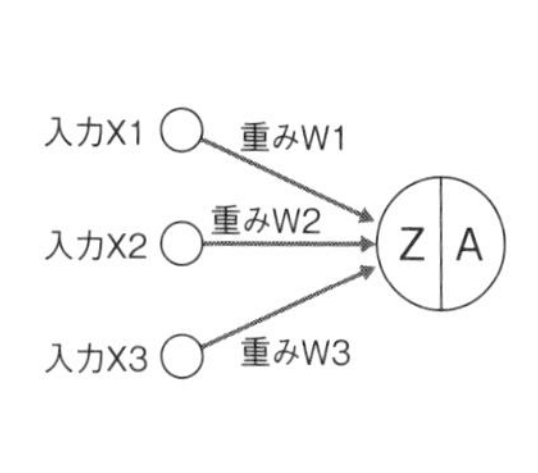

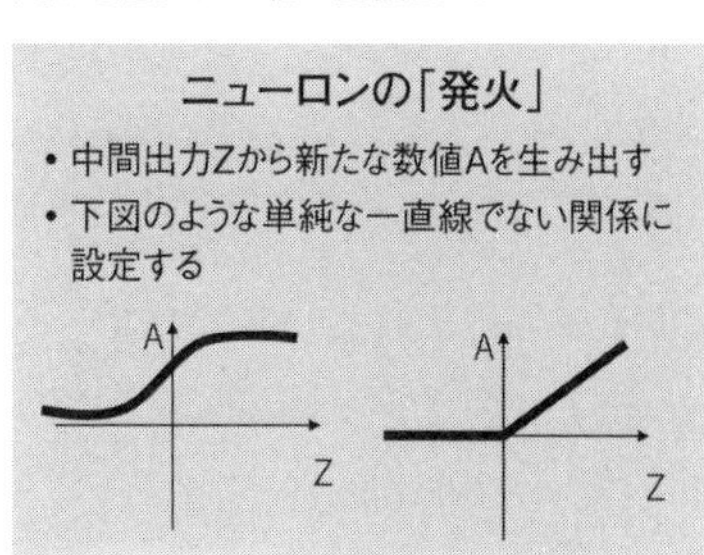

ニューロンの「発火」
• 中間出力Zから新たな数値Aを生み出す
• 下図のような単純な一直線でない関係に設定する
A
Z
A
Z

上のシナプスの数だけ、異なる重みの値を準備する必要があります。図表2－8の例では、入力層と第1層の隠れ層にあるニューロンを結ぶシナプスが9本、第1層と第2層のニューロンの間を結ぶシナプスが9本、第2層と第3層の間で9本、第3層と第4層の間で9本、第4層と出力層で3本あり、すべて合わせると39本あるので、合計39種類の異なる重みが設計されます。

　このようにデータが伝達されていく構造を「ニューラルネットワーク」といいます。伝達プロセスが概ね5回以上（隠れ層が4層以上）あるニューラルネットワークを、特に「ディープ・ニューラル

ネットワーク」と呼びます。ディープ・ニューラルネットワークは深いものでは、数百から数千層になります。そして、ディープ・ニューラルネットワークによる学習を「ディープラーニング」または「深層学習」といいます。

2010年代からの第三次人工知能ブームは、まさに深層学習の有効性がひきがねとなりました。その背景として、ニューラルネットワークを多層化した深層学習により、従来手法にはまねできないほどの高精度なAIが可能になったことがあります。また、層を重ねることで、入力層から出力層に向かうにつれ、人間の脳で行うような低次の概念から高次の概念まで構成され、高度な表現学習が可能になったことも指摘されています。

——ニューラルネットワークでの「重みの学習」はどのように行われるのか

ニューラルネットワークでは、入力と出力のデータから、内部の配線をつなぎかえて、狙いどおりの出力を得るようにしています。「教師あり学習」として適切なデータを与えれば、内部の配線のつなぎ方（重み）は、人間が手を貸すことなく自動設計されます。

ニューラルネットワークは100％完璧ではなく、入力データに対してニューラルネットワークが導き出す出力データも100％完璧ではありません。したがって、最も望ましい出力からどれだけかけ離れているかを評価する「損失関数」という物差しを準備します。損失関数の値は「最も望ましい出力との誤差」です。たとえば、出力として1という数値を得たいときに、実際の出力が1・1や0・9という数値になった場合には、誤差は0・1です。この誤差を小さくするように重みを決めていくプロセスが学習です

この誤差は実に厄介で、出力層における正解値との誤差しかわからず、隠れ層における重みの誤差は簡単には定義することができません。そこで、出力層での誤差を利用して、出力層に近い層から、逆算的に、隠れ層における重みを決めていく方法がとられています。この方法は、「誤差逆伝播法」と呼ばれています。

では、どのように誤差がもっとも小さくなるように、一つひとつの重みを決めていくのでしょうか。私の趣味である登山の例でたとえてみます。最初にいる地点をPとします。山の標高を損失関数の値としたときに、損失が最も小さい点Q（＝標高が最

も低い地点）が目的地となります。地点Ｐから地点Ｑを目指すためには、どのように動けばよいでしょうか。本来、山歩きであれば地図がありますが、ニューラルネットワークの学習の場合は全体が見渡せるような地図はありません。

山の場合は、傾斜が最も大きい向きを探して、その方向に少しだけ下山します。すると、その地点で、傾斜が最も大きい向きが変わります。そこで少し方向を転換して、さらに少しだけ下山する。こういったアプローチをとります。

ニューラルネットワークにおいて、損失が最小となる重みの組み合わせを自動探索する方法もこれと似ています。その

損失が最小となる点を検索するのは、山から下山するプロセスに似ている　©Google Earth

方法は「勾配降下法」と呼ばれています。ニューラルネットワークが何も学習していない状態では、重みはわからないのでランダムな数値が最初に設定されています。その地点がPです。今いる地点の損失の値から、勾配が最も大きい向きを探し出し、その向きになるように重みを微修正する。微修正した新しい重みに対し、新しい損失の値と、勾配が最も大きい向きを探し出して、その向きに重みの組み合わせを更新する。ニューラルネットワークでは、この作業を繰り返すことによって、損失が最小、つまり最も性能が高いニューラルネットワークになる重みの組み合わせを自動探索するのです。

まとめ

- **ニューラルネットワーク**……入力データが次々と伝達されて望ましい出力データに変換される構造を持ったネットワーク。「入力層」「隠れ層」「出力層」の3つに分かれる
- **ディープ・ニューラルネットワーク**……「隠れ層」が何層もあり、より高次の概念が学習できるニューラルネットワーク

・**深層学習（ディープラーニング）**……ディープ・ニューラルネットワークによる学習
・**損失関数**……最も望ましい出力からどれだけかけ離れているかを評価するための関数
・**ニューラルネットワークの学習**……「損失関数」の勾配を頼りに、試行錯誤しながら、「損失」が最小となる「重み」の組み合わせを、コンピュータが自動的に探るプロセス
・**誤差逆伝播法**……出力層での誤差を利用して、出力層に近い層から、逆算的に、隠れ層における重みを決めていく方法
・**勾配降下法**……損失が最小となる重みの組み合わせを自動探索する方法

コラム④

脳の神経細胞のネットワーク
～「ニューラルネットワーク」の語源～

「ニューラルネットワーク」は、人間の脳にある1000億個以上もの神経細胞

(ニューロン)の働きを模してAIを設計したことから、このように呼ばれます。

人間の脳は、視覚や聴覚から得た入力情報を脳内で電気信号に変換して、これを伝達しながら情報を処理し、知覚や判断などの出力を行う機能があります。情報処理とは、電気信号の変換を繰り返し、最終的に望ましい出力に変換していくことです。こうした脳の情報処理の働きを数理モデルに置き換えて、特定のタスクを行う「機械のようなもの」をつくり上げたのがAIです。

脳内で電気信号の伝達や情報処理を行うときに重要な働きをするのが、神経細胞を構成する細胞体、樹状突起、軸索、シナプスです(図表2-10)。

細胞体は、神経細胞の中心です。樹状突起は、細胞体の表面にある数本から十数本の突起です。軸索は、細胞体から伸びた1本の突起で、その先は数十から数百に分岐し、多数の細胞体や樹状突起と接続し、脳内で電気信号を伝える電線のような働きをしています。シナプスは、細胞体の軸索と他の細胞体の樹状突起が接続する部分です。

脳内の電気信号の伝達や情報処理はどのように行われるのでしょうか。

たとえば、視覚情報は、光が網膜に達したときの刺激が電気信号に変換され、脳

図表2-10

ニューラルネットワークの語源となった神経細胞の基本構造

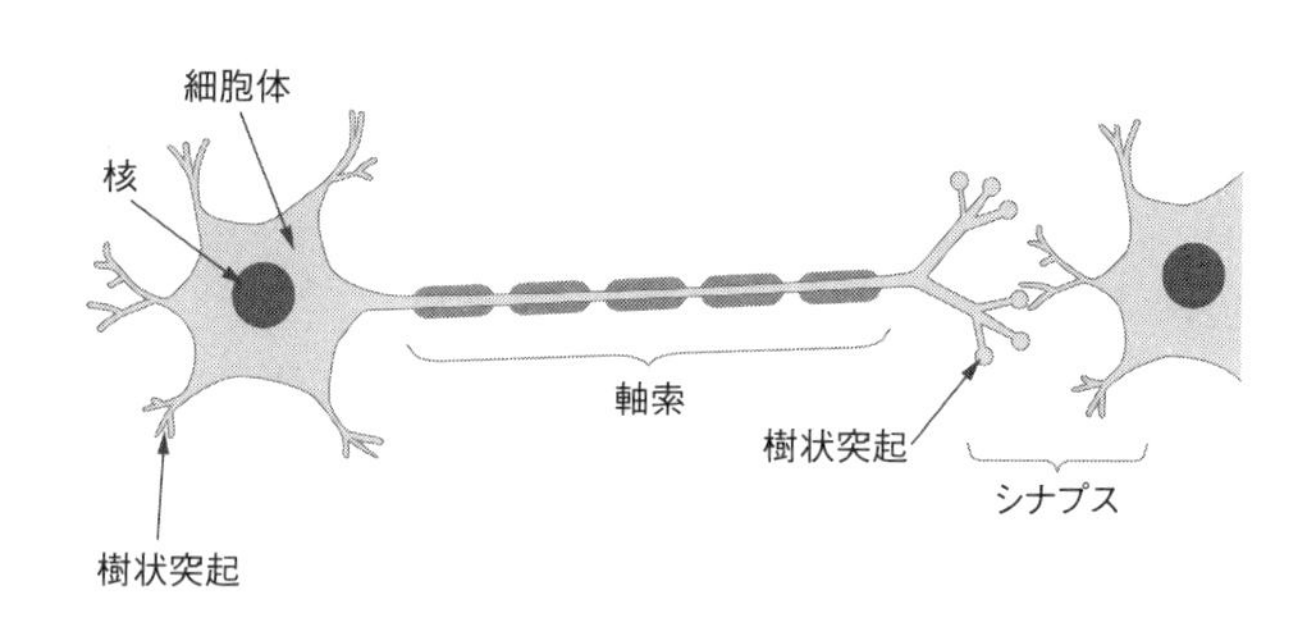

内に伝達されます。脳内の細胞体は、入力信号をもとに、軸索を伝わってきた電気信号を合図に、軸索の端末部分が「神経伝達物質」と呼ばれる化学物質を外にばらまきます。神経伝達物質には、セロトニンのようにうつ病の発症に密接な関係があると言われるものや、ドーパミンのように、その分泌が統合失調症に深く関係すると言われるものもあります。

他の細胞体の樹状突起にあるシナプスは、放出された神経伝達物質を受け止めます。そして、その神経伝達物質を刺激として、新たな電気信号を生み出します。シナプスは1つの樹状突起上にたくさん存在し、それぞれのシナプスで他のさまざまな神経細胞から、さまざまな電気信号の入力を受け入れます。この電気信号は細胞体に到達し、すべて合算されます。

細胞体は、一定以上の大きさを超える電気信号を受けると発火して、新たな電気信号を軸索に伝達します。逆にその基準に満たない信号の場合、発火に至らず、新たな電気信号を伝達することはありません。

こうした電気信号の伝播、受け取り、統合などの神経細胞間の相互作用を複雑に繰り返すことにより、複雑な情報処理が脳内でなされていると言われています。

3 画像認識ＡＩの仕組み

本節では、前節で説明したニューラルネットワークが、実際にどのように応用されるのかを、簡単な画像認識ＡＩの例を用いて説明します。ここで、画像認識ＡＩとは、文字どおり、画像に写っているものが何であるかをＡＩに認識させる技術です。顔認証は、顔画像を使う画像認識ＡＩの一種です。本節では、画像をＡＩにどうやって入力し、コンピュータがＡＩにどのように自動設計させるかについて説明します。

――ＡＩに画像を入力する

まず、ＡＩに画像を入力する方法を説明します。

先に紹介した入学試験の例は、数学や英語の点数、小問ごとの点数や正答・誤答といった情報を数値として扱いました。では、ＡＩにおいて画像はどのように扱われる

図表2-11
画像をAIにどのように入力するか

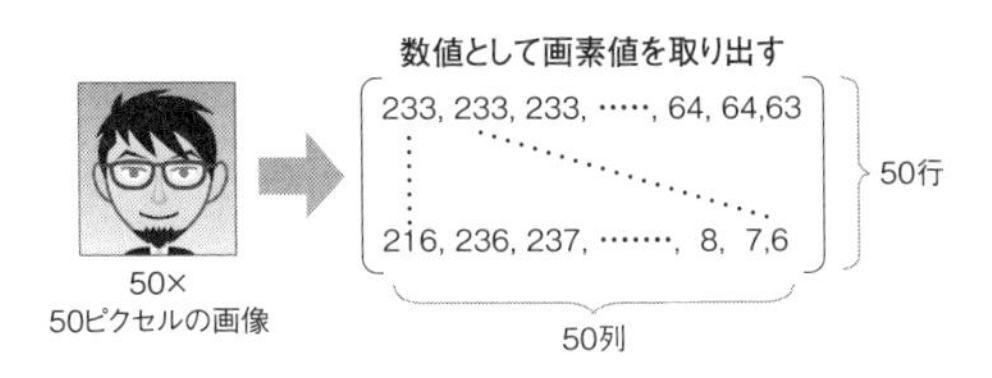

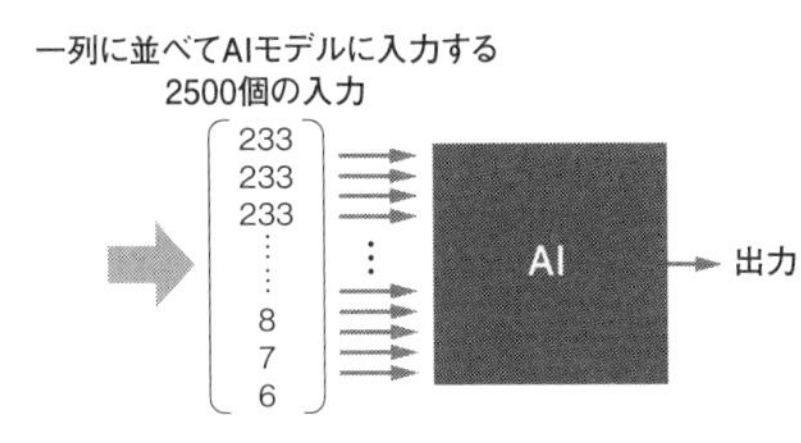

のでしょうか。

ある画像に対して、コンピュータが顔かどうかを判定する場合、入力データに当たるのは、画像そのものです。第1章でパスポート写真の情報量を説明しましたが（37ページ）、それを思い出してみましょう。画像は画素と呼ばれる点の集まりで表現されています。

図表2－11の顔の画像は、縦50×横50＝2500個の点で表わされています。この1点1点が1ピクセルです。白黒画像（濃淡画像）の場合は、1点に1つの画素値（0から255の値で黒は0、白は255）が割り当てられます。画像認識AIではこの画素値の集合を入力デー

タとします。図表2－11において、画像の数値を1列に並べる操作がありますが、あくまでも説明上のものです。

AIは万能ではないので、AIが学習しやすいように画素値の平均や分散を揃えるなどの「正規化」と呼ばれる処理も行います。また、1枚の画像に対して、回転や拡大・縮小などを行い、複数の画像にするなど、学習データを増やすこともあります。この処理は、「データオーギュメンテーション」と呼ばれ、AIの性能を左右する大事な方法です。

まとめ

・AIで画像を扱うには、画像を数値列に変換する
・画像の回転や拡大・縮小などにより、学習データを増やす処理は「データオーギュメンテーション」と呼ばれている

――画像認識AIの最も簡単な例

顔認証技術の説明に入る前に、画像認識AIの最も簡単な例として、入力した画像から、人間の顔と猫の顔を判別するAIの例を説明します。

AIをつくるときに入手が必要になるのは「入力層」「隠れ層」「出力層」などのニューラルネットワークの構造の決定、損失関数の決定、学習データの準備の3つです。

入力は、縦・横の画素値を同数にして同じ大きさに切り取られた画像です。各画素の値が、AIにおける入力データに該当します。これまでに説明したとおり、画像を数値データに変換すると、たとえば50×50ピクセルの画像ならば2500個の入力データとなります。AIは、一般に入力層と出力層を固定して学習するため、入力層のニューロン数は後から変更できません。そこで設計する際に細心の注意を払う必要があります。

出力は、画像が人間の顔に類似すればするほど1に近い数値を出力し、猫の顔に近いほど0に近い数値を出力することにします。出力値は1つなので、必要な出力層の

図表2-12

画像認識AIの学習（いちばん簡単な例：猫と人の顔を区別）

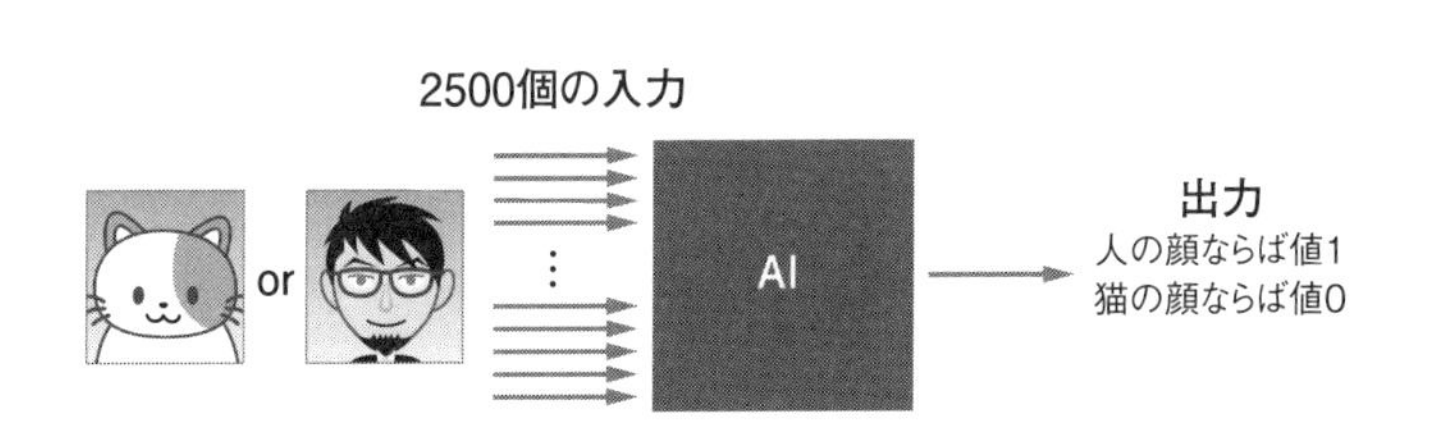

ニューロン数は1つです（図表2－12）。

隠れ層の数や、各層のニューロンの数は人間が手作業で決めます。目鼻など人間の特徴を抽出したい場合は、畳み込み層と呼ばれる画像のパターン認識が得意な層を入れます（畳み込み層については100ページのコラム⑤参照）。

損失関数は、人間の顔を入力した場合、出力が1に近いほど損失が小さくなり、猫の顔を入力した場合、出力が0に近いほど損失が小さくなるように設計します。

学習に必要な学習データの準備として、猫と人間の顔それぞれについて、入力層の設計で決めたサイズの画像を大量に集めます。このとき、画像に「これは人間である」「これは猫である」という正解のラベル付けをします。この作業を「アノテーション」と言います。

ここまで準備したら、AIの学習を開始します。AIの内部の配線、つまり重みは、当初はランダムな値を設定しておきます。そして、学習データである画像をコンピュータに読み込ませます。すると、入力されたランダムな重みとニューロンの発火によるさまざまな数値変換を経て、出力層で人間の顔か猫の顔かを判定します。

仮に100枚の学習データによる学習であれば、100回分の判断結果があり、正解との突き合わせにより判断の正誤も100回行われます。この100回の正誤による損失が損失関数により計算されます。ここからは勾配降下法（87ページ）を繰り返し適用して、「重みの組み合わせを再設定→損失の計算→重みの組み合わせを再設定→……」と繰り返し、最も望ましい重みの組み合わせを探索します（図表2－13）。

このAIの自動チューニングを経て、学習が終わりました。では、実際に学習に使っていないデータで本番に臨んでみましょう。これまでに説明したように本番のことを「推論」と呼びます。学習データでは、正しく学習していれば人間の顔なら1、猫の顔なら0にほぼ近い値をとるのですが、本番データでは学習したことのない未知のも

図表2-13
画像認識AIにおける「学習」過程

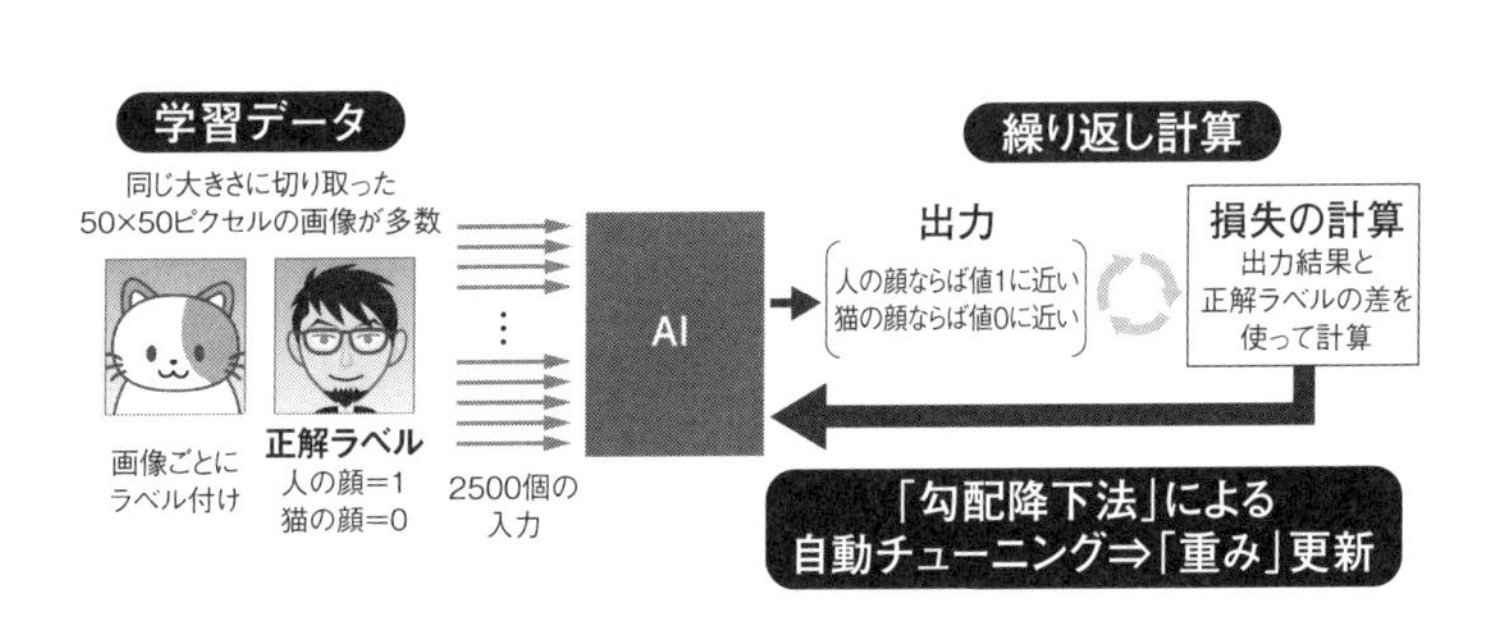

のなので、0から1の間のどこかの値が出てきます。一般に学習したデータをそのままテストに使うのは、「答えを知っているテスト」になって無意味なので、学習データと本番データは必ず異なるものを使います。

学習がうまくいっている場合には、本番データでも思ったとおりの出力（人間の顔なら1に近い値、猫の顔なら0に近い値）になります。私たちが見れば人間の顔と猫の顔を見間違えることもないはずですが、AIの場合、人間と猫の顔を合成したような画像を入力すると、中間的な出力値が出てくることもあります（図表2－14）。これで、画像認識の最も

図表2-14
画像認識AIにおける「推論」過程

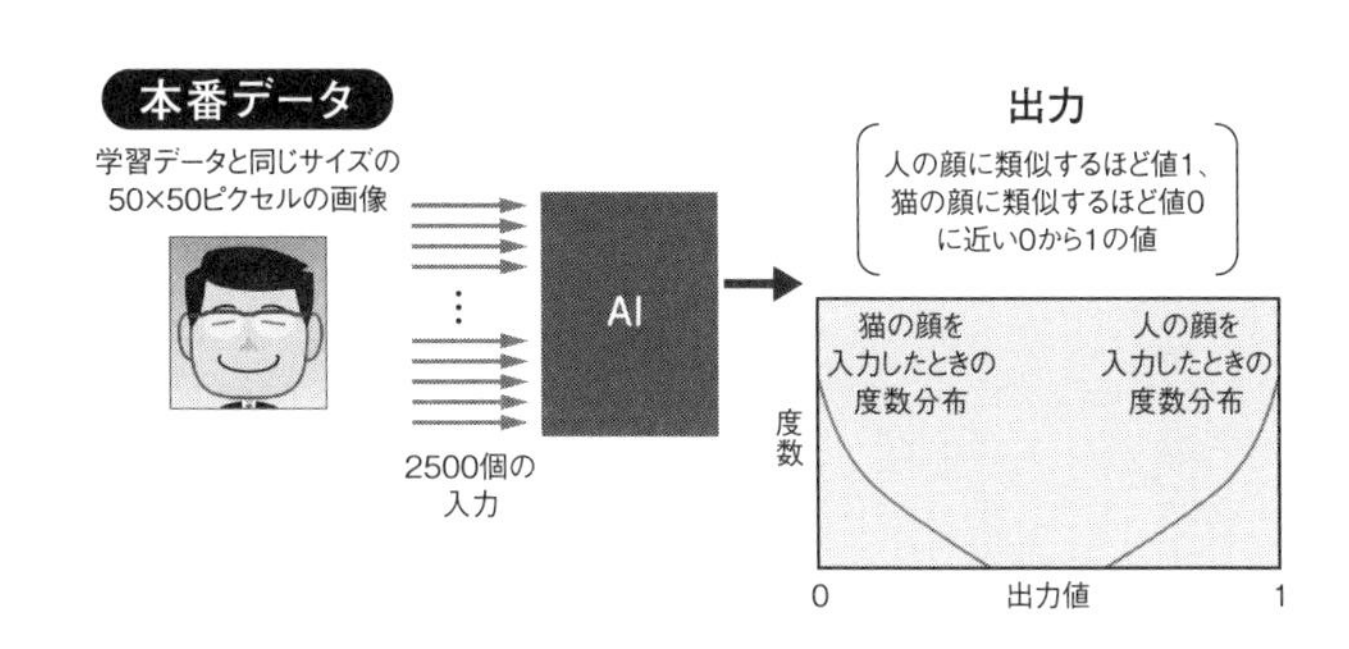

簡単な例の説明は終わりです。次はいよいよ、顔認証のＡＩについて説明していきます。

まとめ

・「入力層」「隠れ層」「出力層」各層のニューロンの数、損失関数など、ニューラルネットワークの枠組みは人間が決める
・正解ラベル付きの大量の学習データを準備する
・学習データをコンピュータに読み込ませると、重みが自動設計される

画像認識で使われるAI「畳み込みニューラルネットワーク」

コラム⑤

画像認識の際にAIに入力するデータが、画像の輝度値そのものであることはすでに説明しました。では、画像の特徴を、コンピュータはどのように見分けるのでしょうか。

結論から言うと、第1章のコラム①（49ページ）にある「ガボールフィルタ」と似たような機能を持つフィルタによって、エッジ、特徴など、局所的なパターンをまず検知し、その情報を統合することによって、位置のズレに対して安定的なパターンを抽出します。これを「畳み込みニューラルネットワーク」と言います。これは、猫の脳の視覚野の観察に基づいて考案された階層仮説が大きなヒントとなり誕生しました。

この畳み込みニューラルネットワークは、自動で画像の特徴をうまく抽出してくれるため、現在の画像認識AIでは頻繁に使われます。畳み込みニューラルネットワークが世の中に広まる前は、画像の特徴（エッジ線分、特徴的なパターンなど）を、人手で設計しており、その良し悪しが画像認識の精度に直接関係していました。しかし、深層学習を用いた畳み込みニューラルネットワークにより、画像の特徴が自動で学習できるようになり、どのように特徴の抽出をするかについて悩んでいた時代から比べると隔世の感があります。

畳み込みニューラルネットワークを使う理由は、もう1つあります。学習対象のパラメータを大幅に減らすことができ、学習がより効率化するからです。

現在の畳み込みニューラルネットワークとほぼ同じモデルで、初めて高性能の重みの推定に成功したのは「計算機科学のノーベル賞」と言われるチューリング賞を受賞したヤン・ルカンを中心とするグループで、1989年のことでした。ヤン・ルカンは、2002年から2003年にかけてNECの北米研究所に在籍し、NECの機械学習の発展に多大な影響を及ぼしています。

同時期に、NECの北米研究所には、「サポートベクターマシン」の提唱者の一人であるウラジミール・バプニックも在籍していました。サポートベクターマシンは、機械学習の分野で有名なアルゴリズムです。私の昔話になりますが、ウラジミール・バプニックとの議論から得た有益な示唆もあり、NISTベンチマーク世界ナンバー1の実績につなげることができました。

4 AIを用いた顔認証の仕組み

――顔認証の基礎知識 〜「1対1認証」と「1対N認証」〜

ここまででAIを顔認証に適用する下準備が終わりました。ここからがいよいよ本番です。

顔認証に当てはめると、どのようになるでしょうか。第1章で説明した顔認証の仕組みを改めて簡潔に説明します。

スマートフォンのロック解除のときの本人確認は、スマートフォンにあらかじめ登録してある顔画像と、カメラを覗き込んだ顔画像を比較して、それが同じ人物なのか、異なる人物なのかを判定します。これが顔認証です。スマートフォンにあらかじめ保管された画像に当たるのが「登録画像」、カメラを覗き込んでいる人物の顔は「照合

図表2-15
「1対1認証」と「1対N認証」の違い

方式	1対1認証	1対N認証
用途	パスポート、社員証など ID写真に対する**本人確認**	オフィスビルの入退場管理 **登録データベースからの検索**
手法	2枚の顔画像が 同一人物か否かを判断する 照合画像　登録画像	1対1認証をN回繰り返し、類似度が一番高い人を「照合画像と同一人物」と考える 照合画像　N名分の登録画像

画像」になります。

登録画像と照合画像の2枚を照らし合わせ、同一人物か違う人物かを判定する認証の形を「1対1認証」といいます（図表2－15）。空港の入国審査の際、人物の顔を撮影した画像（照合画像）とパスポートのICチップに埋め込まれた顔画像（登録画像）を照らし合わせるようなケースが典型的な1対1認証です。また、スマートフォンでの本人確認も1対1認証です。

一方、オフィスビルの入退場管理の場合、ゲートに近づいたときに撮影される顔画像（照合画像）と、このオフィスビルへの入場が許可されている社員の登録画像を次々に照合して、特徴量の類似性を瞬時に計算し、登録者の中から同一人物を探し出します。このとき、特徴量の類似度が一番高い人物を同一人物と判定します。どの人物にも当てはまらない場合には、登録データベースに存在しない人物とみなします。このように複数の登録画像と照合する場合は、「1対N認証」と言います。「N」は複数という意味です。

1対N認証では、1対1認証をN回繰り返し、一番近い人物を本人とみなしています。5000人の社員が登録されていれば、5000回照合作業を繰り返して一番似ている人物を探し出すわけです。そのため、顔認証の基本となるのは、1対1認証であることがわかります。

まとめ

・顔認証には「1対1認証」と「1対N認証」がある
・1対N認証は1対1認証をN回繰り返すものであり、顔認証の基本は1対1認証

――顔認証の最も簡単な実現方法

では、顔認証を最も簡単に実現させる方法とは、どのようなものでしょうか。

1対N認証の場合は、N回分だけ1対1認証を繰り返すことになるので、1対1認証の技術を確立することができれば、1対1認証も、1対N認証も実現できることになります。そこで1対1認証を実現するAIについて説明します。

前節で人と猫の顔を用いて説明した画像認識AIの最も簡単な例と同様に、AIへの入力と出力を考えてみましょう。画像認識の最も簡単な例で説明したときは、入力は1枚の画像でしたが、ここではもう少し複雑なものになります。図表2-16を使って説明します。

前ページで1対1認証が顔認証の基本であることを説明しましたが、1対1認証をするためには登録画像と照合画像の2枚の顔画像が必要となりますので、これら2枚の顔画像をAIへ入力します。たとえば、登録画像と照合画像がそれぞれ、50×50ピクセルの白黒画像とすると、50×50×2枚=5000個の数値がAIへ入力されます。

図表2-16
顔認証の最も簡単な実現方法

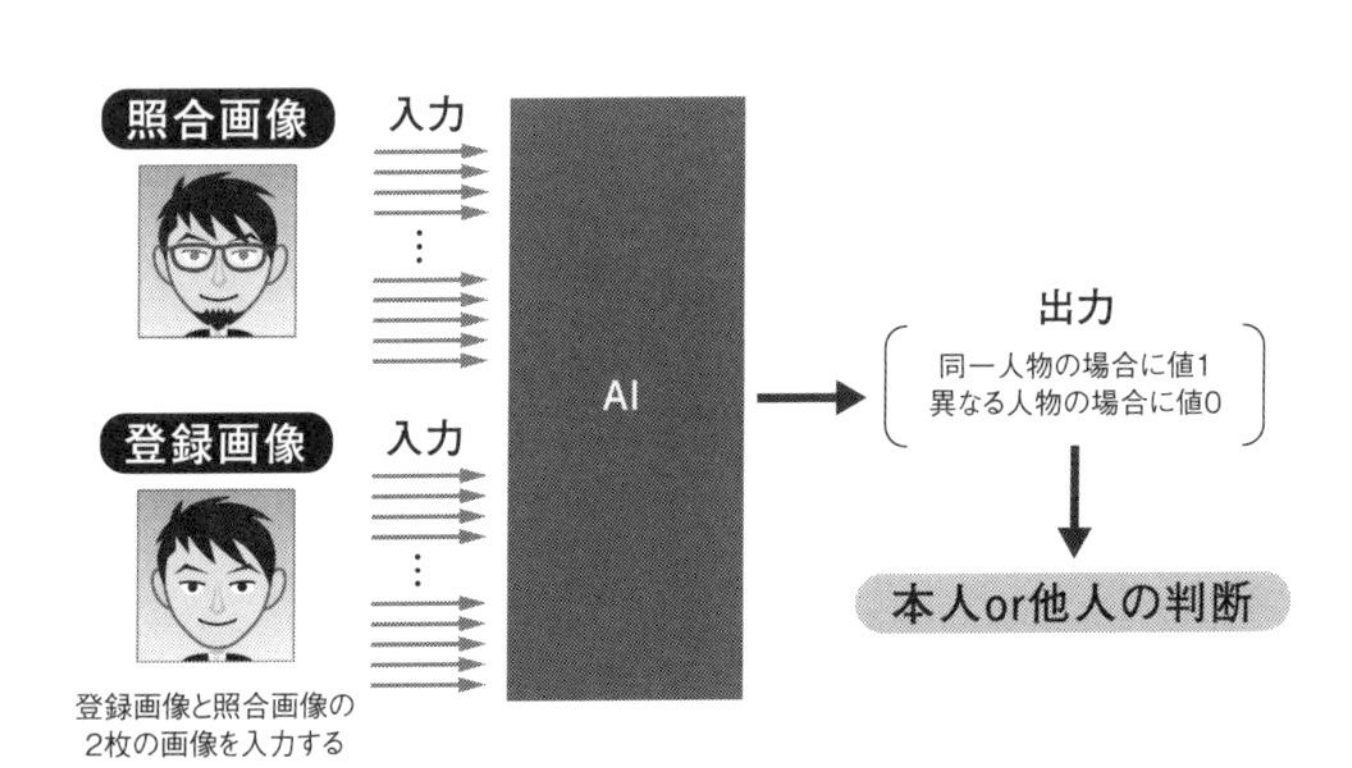

一方、出力は1つで、2枚の画像の人物が、「同一人物」か「異なる人物」かを出力します。「同一人物」であれば出力値は1、「異なる人物」であれば出力値は0となるように学習します。推論時には、登録画像と照合画像の2枚を入力して、AIが本人である確率を出力します。本人であれば1に近い値、他人であれば0に近い値を出力します。

このようにすれば、顔認証のAIの学習と推論が実現できます。1対N認証の場合は、推論をN回繰り返します。しかし、1対N認証の場合には、深層学習の複雑なモデルを伴うAIの処理を何度も適用していると時間がかかりすぎることになります。そこで、実際の顔認証システムではもう少し省力化した方法が使われます。その方法を次に説明します。

まとめ

・顔認証を実現する簡単な方法は、登録画像と照合画像の2枚の画像を入力して、同一人物であれば値1、異なる人物であれば値0として学習する
・顔認証の推論は、登録画像と照合画像の2枚を入力して、AIが本人である確率を出力する。本人であれば1に近い値、他人であれば0に近い値を出力する
・実際の顔認証システムではもう少し省力化した方法をとる

――実際に使われている顔認証方法

実際に使われている顔認証はどのような方法をとっているのでしょうか。

これまで、2枚の顔画像そのものを入力して、本人である確率を出力する方法を説明してきましたが、この方法では時間がかかりすぎるため、実用的ではありません。

この課題を解決するためには、現在実用化されている顔認証では、顔画像を「特徴量」と呼ばれる数百個から数千個の数値データに変換する方法がとられており、ここにＡＩが活用されています。顔認証の精度は、特徴量を抽出するＡＩの性能に依存しています。

もう少し詳しく説明をしていきましょう（図表２－17）。顔画像から特徴量を抽出するＡＩへの入力は、顔画像1枚です。入力画像が50×50ピクセル（画素）の白黒画像の場合は、入力数は２５００です。出力の数は、特徴量の要素の数だけ必要です。このようなＡＩをつくれば、登録画像や照合画像はいったん、特徴量に変換できることになります。特徴量の数値列をイメージしたのが、図表２－17の波形の図形です。

特徴量を抽出するためのＡＩの作り方は複雑なので、１１２ページのコラム⑥で説明します。顔画像から特徴量を抽出することを顔認証の世界では「テンプレート生成」と呼びます。特徴量さえ抽出できれば、あとは図表２－18にあるように、同一人物か否かを判定する照合処理だけです。登録画像と照合画像の特徴量を比較します。登録

図表2-17
顔画像の特徴量を抽出するAI

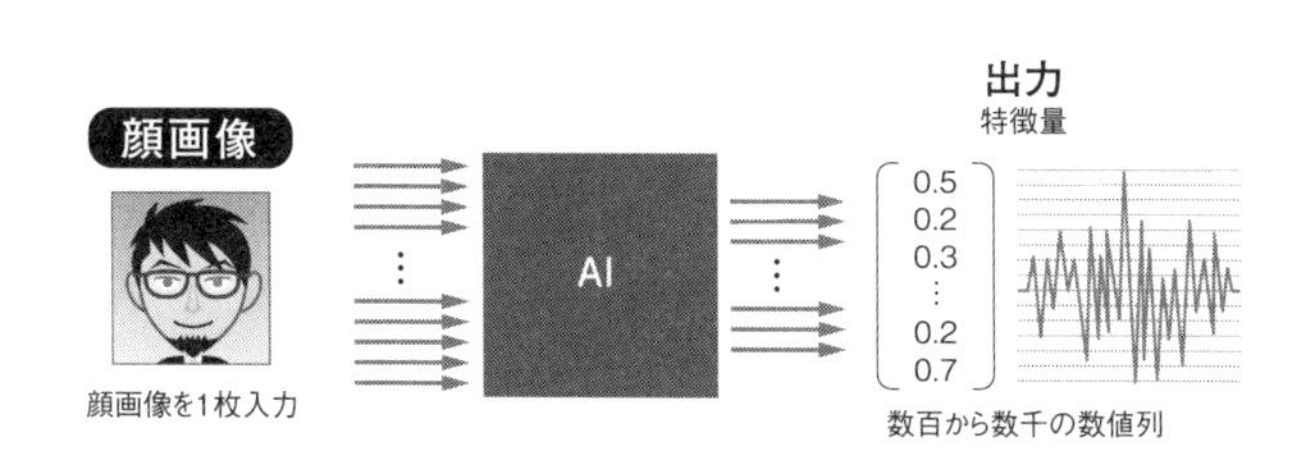

画像と照合画像の特徴量の類似度が高ければ本人と判定し、類似度が低ければ他人と判定します。

たとえば、特徴量の類似度を0から1までの値で表現し、類似度が高い場合には1、類似度が低い場合には0に近くなるとします。このように表現すれば、特徴量間の類似度が1に近づけば、同一人物である可能性が高くなります。逆に、0に近づけば他人の可能性が高くなります。この値から本人か他人かを判断できることになります。

このように顔画像から特徴量を抽出する方法は、省力化につながるのですが、その理由を説明しましょう。

図表2-18

特徴量間の類似度を求める

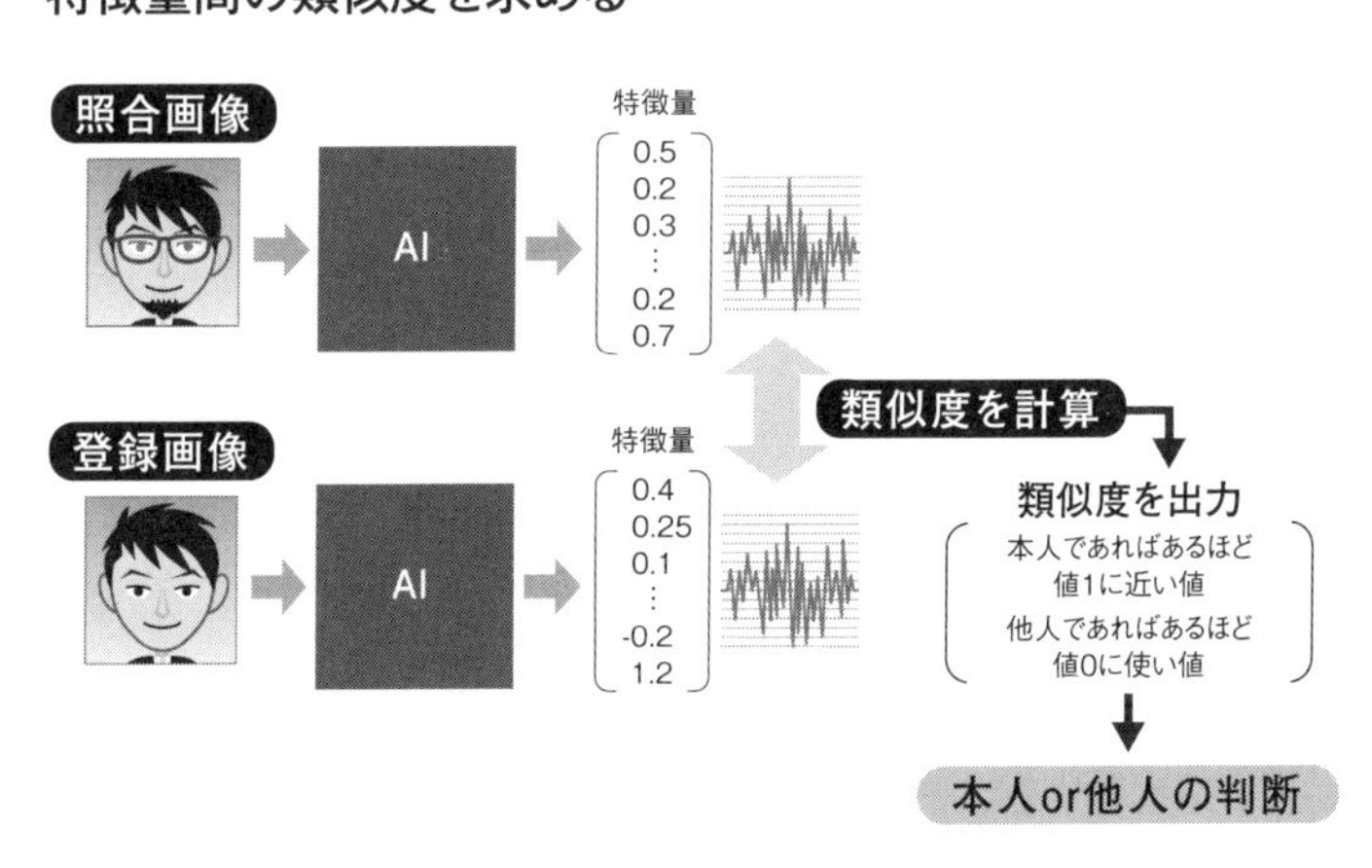

たとえば、コンピュータが画像を画像のまま扱うと、同一人物か否かの判断に多大な時間がかかります。すると、入退場のゲートや決済の場で本人確認の待ち時間が長くなってしまい、実用に適しません。そこで、情報量を圧縮し判定を容易にするために、顔画像の特徴を数値データに置き換えるのです。

しかし、この特徴量の抽出にどのようなＡＩを使うかで、顔認証の精度も大きく変わります。顔認証の目的は、Ａさん、Ｂさん、Ｃさんといった個人を見分けることにあります。そのため、特徴量を抽出するＡＩでは、個人が有する特徴を抽出することが大切になります。しかし、その一方で、たとえば、照明環境の変化など、個人とは関係ない要因は除外する必要があります。つまり、個人と関係ない要因をできるだけ除外しつつ、個人が有する特徴をいかに抽出できるかに、顔認証技術の本質があります。

このように、顔認証の精度は、特徴量を抽出するＡＩの性能に大きく依存しています。そのため、最新の顔認証においては、このＡＩの開発に「技術の粋」が集められているわけです。

一方で、特徴量は、個人情報保護法とも関係があります。個人情報保護法には「個人識別符号」という概念があります。一般的には、特徴量は、顔の特徴をコンパクトにしたものなので、元の顔画像を復元することは困難ですが、特徴量間の類似度を求めることにより個人を識別できることから、個人識別符号の一つとなっています。そのため、十分に注意して取り扱う必要があります。

まとめ

・実際に実用化されている顔認証システムでは、「特徴量を抽出するＡＩ」を使って、顔画像をいったん「特徴量」に変換する

・登録画像と照合画像のそれぞれの「特徴量の類似度」に基づき、同一人物か他人かを判定をする
・個人と関係ない要因をできるだけ除外しつつ、個人が有する特徴をいかに抽出できるかに、顔認証技術の本質がある

コラム⑥ 顔の特徴量を抽出するＡＩ

本格的な顔認証で使われている顔の特徴量抽出のＡＩでは、どのように学習が行われているのでしょうか。少し込み入った話になるので、そのエッセンスを説明します。

【顔の特徴量を抽出するAIの学習】

学習データに含まれる人物の数をＮ人とします。学習用データに含まれる人物１人につき、それぞれ複数枚の顔画像が必要です。なぜ１人に複数枚の顔画像が必要

かというと、表情は常に変わるものであり、歳を重ねて顔が変化することもあり、こうした変化の影響を受けないように学習する必要があるからです。

出力層には、学習用データに含まれる人数分であるN個のニューロンを用意します。出力層におけるそれぞれのニューロンは、特定の人物のみに反応するようにします。たとえば、1番目の人物の顔画像のみに反応するニューロン、同様に、2番目、3番目……、N番目の人物の顔画像のみに反応するニューロンといった具合です（図表2－19）。このように出力層では、学習した人物については、完全に識別できるように学習します。

【顔の特徴量を抽出するAIの推論】

推論時には学習した人物と、異なる人物の顔画像を入力します。推論時に入力する人物の顔画像は、学習していませんので、どの出力層のニューロンも反応しないことが一般的です。では、学習していない顔画像から、AIからどのように特徴量を抽出するのでしょうか。

このAIでは、入力層に近い隠れ層では、単純な特徴を学習し、出力層に近い隠

図表2-19

顔画像から特徴量を抽出するディープ・ニューラルネットワーク

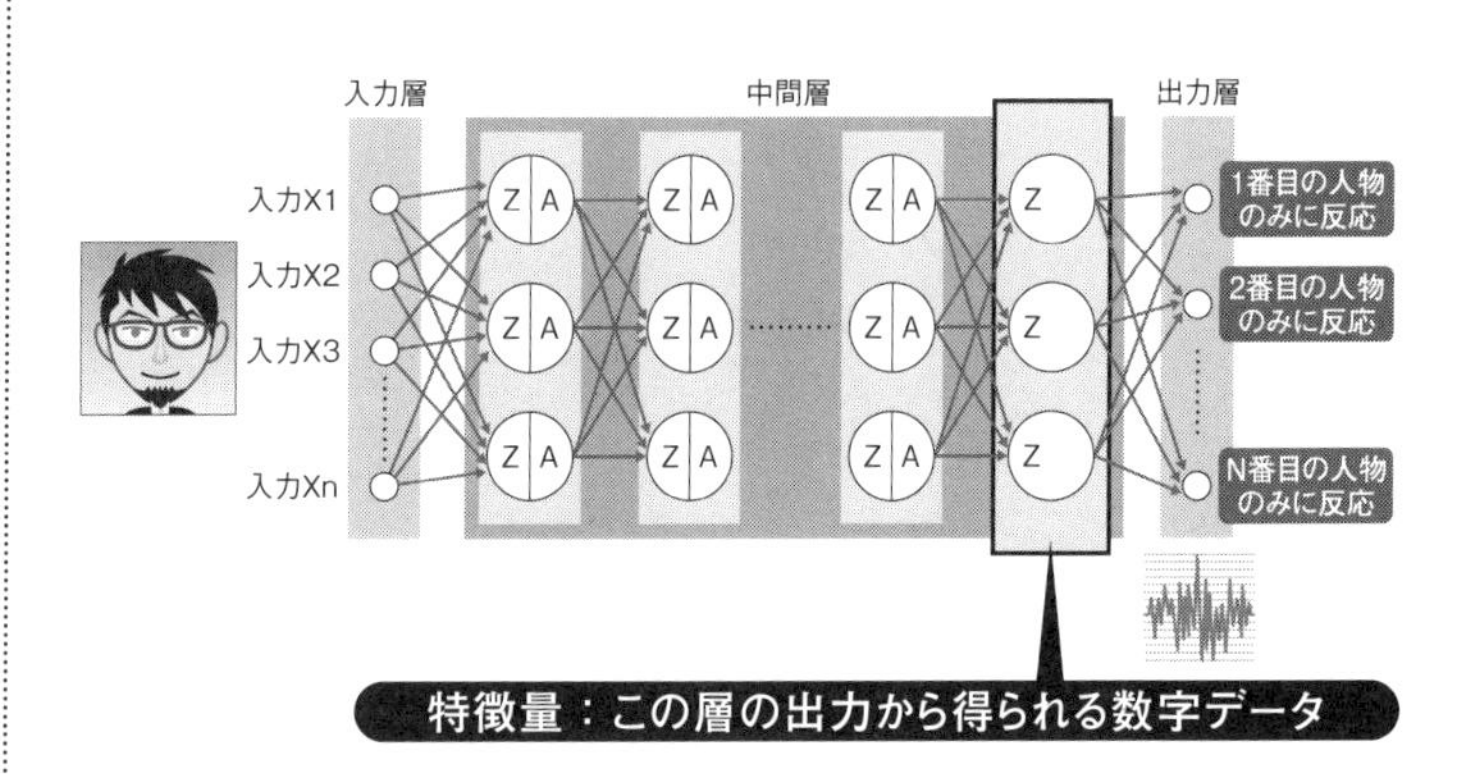

れ層では、複雑な特徴を学習していると解釈します。この複雑な特徴の中に、個人を識別するための特徴が含まれているのです。そこで、出力層の一つ前の層に属するニューロンの出力値を「特徴量」とし、そのニューロンの数が、特徴量における数値の数になります。

　このようにして、特徴量を抽出するＡＩの学習・推論が行われます。特に重要なのは、損失関数の設計です。極めてよく似ている他人を見分けられるように損失関数を設計すると、性能が高いＡＩができ上がります。

5 「顔認証システム」の運用、精度評価

――顔認証の基準「ISO」と「IEC」

ここまでの説明で、単にAIを使うだけで賢い顔認証システムをつくれるわけではないということがおわかりいただけたと思います。AIの設計といったアルゴリズムの工夫や、良質で大量の顔画像データを収集したりするなどのノウハウや〝力業〟も必要です。

深層学習の発達により、顔認証システムを提供するベンダーの数が圧倒的に増えましたが、ベンダーの技術力や顔認証システムの性能はさまざまです。そこで、信頼できる顔認証システムを見分ける指標として、国際標準化機構（ISO）と国際電気標準会議（IEC）が共同して策定した基準を紹介します。

空港の出入国管理に使う顔認証システムでは、パスポートのICチップに埋め込まれた登録画像と、今まさに国境を通過しようとする人物の顔写真である照合画像の特徴量を照合します。通過しようとする人物がパスポートの名義人本人であるのに、いちいち係員が呼び止めて詳細な検査をしていては、入国審査のスムーズなオペレーションを阻害しかねません。

一方、本当は他人同士であるにもかかわらず、コンピュータが間違って本人同士と判断してしまい、入国を自動承認するような事態も避けなければいけません。場合によっては社会の安全を揺るがすおそれがあるからです。

顔認証システムにおいて、照合画像と登録画像の2枚の顔画像の類似度を0から1までの値で表します（1に近ければ同一人物の可能性が高い）。当然、0.4とか0.6といった値も出てきます。では、どこから本人、どこまでを他人とすべきなのでしょうか。そこで、たとえば0.5などの数値を、境界となるしきい値として、あらかじめ設定しておくのです。そして類似度がしきい値以上であれば、本人と判断させ、逆にしきい値未満であれば他人と判断させます。

このしきい値をあまりに高く設定してしまうと、同一人物の判断が非常に厳格になり、安全性は高まるものの、本人であるにもかかわらず他人と判断されてゲートで引っかかってしまう人が続出し、効率性は損なわれます。一方、しきい値をあまりに低く設定してしまうと、他人がゲートを通過しやすくなってしまい安全性が損なわれます。このように、顔認証システムの運用は、効率性と安全性のトレードオフになるため、運用責任者がポリシーを決め、ポリシーに基づいた適切なしきい値を決める必要があります。

――1対1認証の評価指標

このような効率性と安全性のトレードオフ関係を踏まえ、顔認証システムでは、次の2つの評価指標を用います（図表2－20）。

〈本人拒否率（FRR／False Rejection Rate）〉

1対1認証の場合、照合画像と登録画像の人物が一致するにもかかわらず、誤って他人と判定する割合を本人拒否率と言います。たとえば、スマートフォンにおける顔

図表2-20
顔認証の運用、精度評価

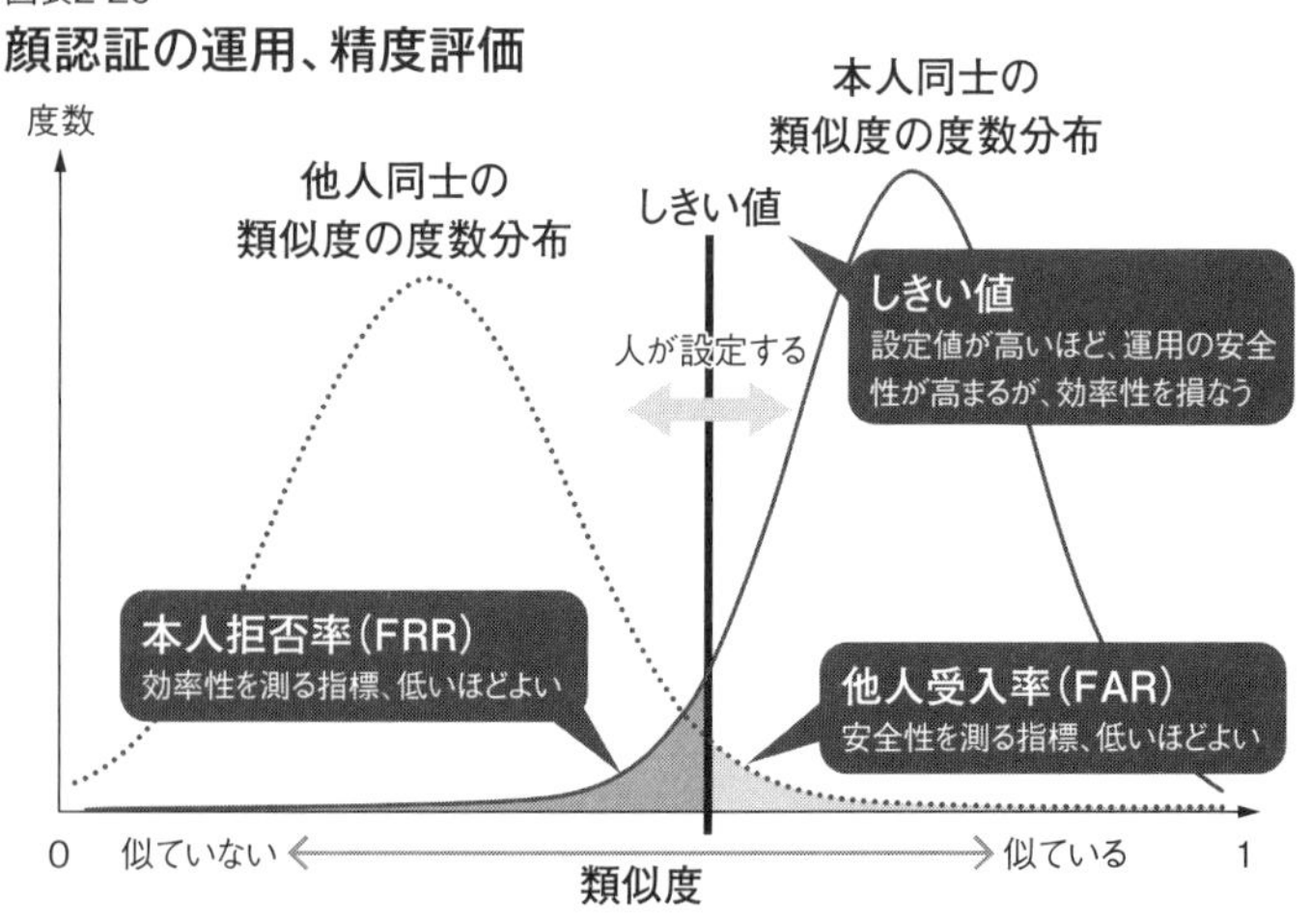

認証の場合、本人がロックを解除しようとしているのに正しく認証されない場合が、本人拒否の割合です。そのときは、パスワードなど別の認証方式で本人認証することになります。このように本人を他人と間違えて拒否してしまう率がどのくらいあるのかは、認証システムの効率性を測るうえでの指標となります。

〈他人受入率(FAR/False Acceptance Rate)〉

一方、照合画像と登録画像の人物が一致しないのに、誤って本人と判定してしまう割合を他人受入率と言います。スマートフォンの持ち主ではない別の人が、本人と判断されてロックを解除できてしまうような割合です。こちらは、認証システムの安全性を測る際の指標となります。

本人拒否率と他人受入率はトレードオフの関係にあります。ベンダーが自社の顔認証システムの信頼性を社会に説明するとき、誠実なベンダーであれば「『他人受入率』が○○％のとき、『本人拒否率』は○○％」というふうに両方の指標を併記します。もちろん、効率性と安全性を両立する観点から言えば、他人受入率を低く抑えることを前提に、本人拒否率も低く抑えられる顔認証システムが、より良いシステムということになります。

――1対N認証の評価指標

1対N認証の場合も、1対1認証とほぼ同じ考え方で、効率性や安全性を測る2つの評価指標を併用します（図表2－21）。

図表2-21

「1対1認証」と「1対N認証」における評価指標

	1対1認証	1対N認証
効率性を測る指標	**本人拒否率(FRR)** 照合画像と登録画像の人物が一致するのに、誤って他人と判定する割合	**誤拒否識別率(FNIR)** データベースに登録されている人物なのに「データベースに登録されていない」と誤って答える割合
安全性を測る指標	**他人受入率(FAR)** 照合画像と登録画像の人物が一致しないのに、誤って本人と判定する割合	**誤受入識別率(FPIR)** データベースに登録のない人物が、データベースに登録されている他の誰かと誤って識別される割合

〈誤拒否識別率(FNIR/False Negative Identification Rate)〉

1対1認証の本人拒否率に相当するのが誤拒否識別率です。データベースに登録されている人物なのに「照合画像の人物はデータベースに登録されていない」と誤って答えてしまうような割合です。

〈誤受入識別率(FPIR/False Positive Identification Rate)〉

1対N認証の他人受入率に相当するのは誤受入識別率です。まったくの部外者が訪ねてきたのに、データベースに登録された社員の1人と誤って識別して、オフィスに通してしまうような割合です。

1対N認証は、1回の顔照合につき、1対1認証をN回繰り返すので、データベース上の登録人数Nが多ければ多いほど、同じシステムでもFPIRが高くなります。すなわち、たとえ判定のしきい値が同じシステムであっても、登録人数が多くなるほど、他人なのにうっかり登録者の1人として誤って受け入れてしまう可能性は高くなります。当然、登録人数が少なければ、誤った受け入れの可能性は低くなります。したがって、顔認証システムの性能を正しく評価したり、比較したりするためには、1対N認証でのNがいくつの場合の性能なのかについて必ず明記しなければなりません。

まとめ

顔認証システムの精度の評価方法

- 効率性を測る指標と安全性を測る指標はトレードオフ。必ず、両方記載されていなければならない
- 1対N認証の場合は、N、つまりデータベースに登録されている人物の人数を書く

6 プライバシー保護に応える顔認証の最先端

――特徴量取り扱いの原則

顔認証システムに用いる特徴量は、顔の特徴が圧縮された数値データ（数百個から数千個の数値列）で構成されています。生体情報がぎゅっと圧縮されたものなので、特徴量から元の顔画像を復元することはほぼ不可能ですが、特徴量と顔認証システムに使われたアルゴリズムを入手すれば、復元は不可能ではありません。

このため、国際標準化機構（ＩＳＯ）は、特徴量の取り扱いとして、本来意図された目的以外に特徴量が利用されることを防ぐため、①不可逆性、②リンク不可能性、③取り換え可能性を確保するといった原則を定めています。

①不可逆性（irreversibility）……特徴量は不可逆変換や暗号化などによって保護した状態で取り扱い、暗号が解除できない状態で利用すること

②リンク不可能性（unlinkability）……ある顔認証システムで利用される特徴量を、他のシステムでは利用できないようにすること。リンクとはあるシステムとその他のシステムの接続を表す言葉

③取り換え可能性（renewability）……万が一、ある顔認証システムで取り扱う特徴量が漏洩（ろうえい）しても、取り換えできるようにすること

――キャンセラブル生体認証技術と秘匿生体認証技術

このような原則を満たすため、特徴量を不可逆変換して取り扱う**キャンセラブル生体認証技術**や、特徴量を暗号化したまま取り扱う**秘匿生体認証技術**が開発されています（図表2－22）。

〈キャンセラブル生体認証技術〉

登録画像から生成した特徴量をもとに、「鍵」を用いて不可逆に変換した特徴量を顔認証システムの照合に使います。

元になった〝生〟の特徴量は顔認証システムで使用されず、システム内にも保持されません。鍵を使って変換した特徴量が万一漏洩しても、鍵で不可逆に変換されたものなので、元の特徴量を知られることはありません。

また、顔認証システムごとに異なる鍵を用いることにより、ある顔認証システムで利用される特徴量を他のシステムでは利用できなくなり、リンク不可能性を満たすことができます。さらに、もし漏れてしまった場合でも、新しい鍵を用いて別の特徴量を生成すれば、漏洩してしまった特徴量は無効化されます。

この新しい鍵を用いて生成した特徴量は、顔認証システムに再登録され、再び本人確認に使用することができます。

〈秘匿生体認証技術〉

特徴量を暗号技術を用いることで、より強固に保護する技術が秘匿生体認証技術で

図表2-22
キャンセラブル生体認証技術と秘匿生体認証技術

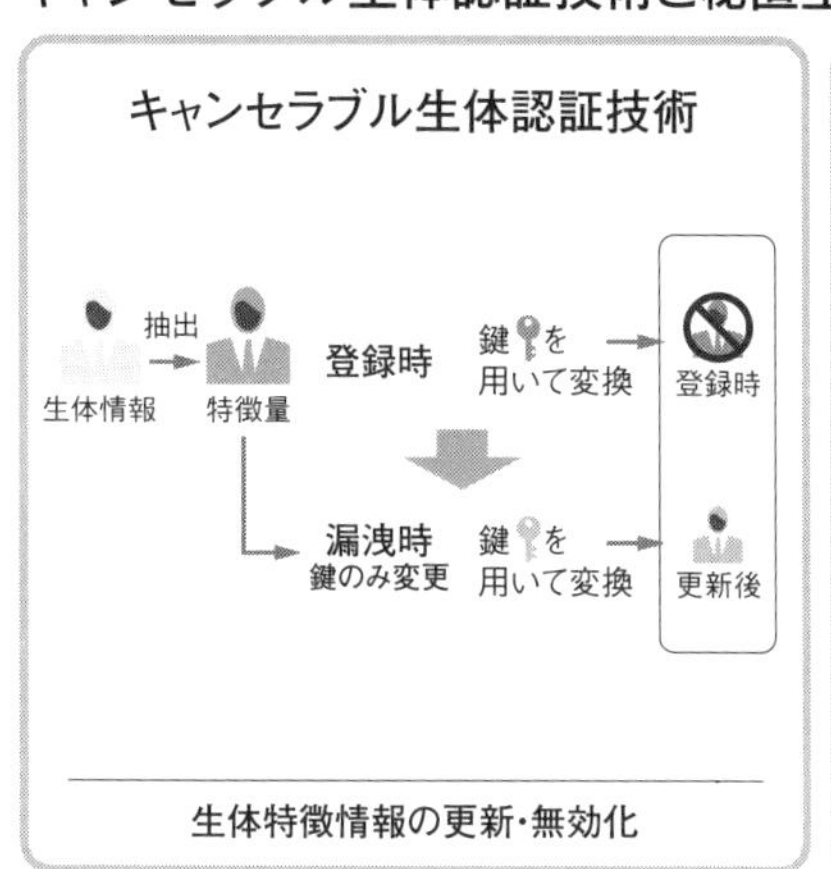

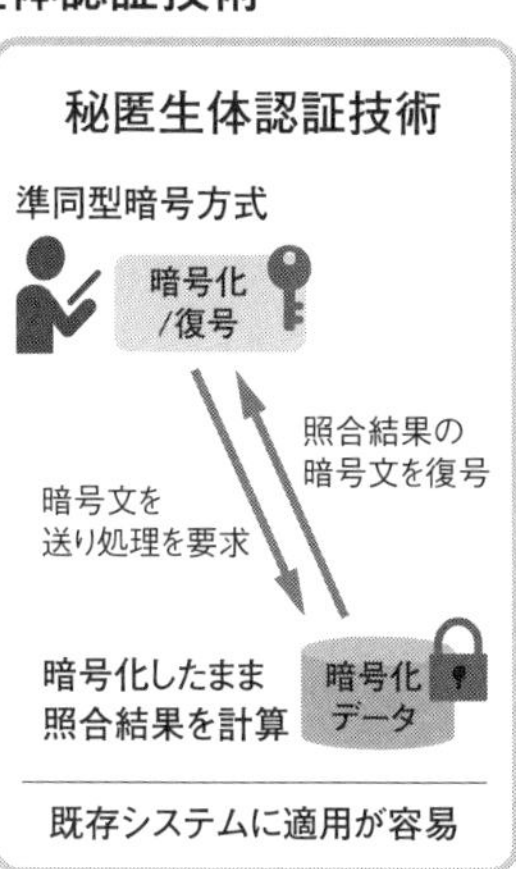

す。秘匿生体認証技術を実現する技術の中でも有名なのは「準同型暗号方式」と呼ばれる方法です。

照合画像を撮影後、撮影データを端末に残すことなく、顔認証アルゴリズムにより抽出される照合画像の特徴量を暗号化して照合します。特徴量を暗号化したまま扱うので、万一漏洩したとしても、特徴量は強固に保護されています。また、キャンセラブル生体認証と同様に、顔認証システムごとに異なる暗号の鍵を用いることにより、リンク不可能性を満たせますし、暗号の鍵を更新することにより取り換え可能性も満たすことができます。

この方式は、すでにある認証システムの拡張として適用しやすく、安全性を高めた顔認証システムを迅速に普及させられるというメリットがあります。

まとめ

・国際標準化機構（ＩＳＯ）は、特徴量の取り扱いとして、本来意図された目的以外に特徴量が利用されることを防ぐため、①不可逆性、②リンク不可能性、③取り換え可能性を確保する原則を定めている
・特徴量を不可逆変換して取り扱うキャンセラブル生体認証技術や、特徴量を暗号化したまま取り扱う秘匿生体認証技術が開発されている

7 顔認証の歴史

ここまで、現在広く使われている深層学習ベースの顔認証技術について説明しました。最後にコンピュータによる顔認証の歴史を振り返ってみましょう。

——1960年代 ～コンピュータ黎明期～

コンピュータに人間の顔を認識させる研究は1960年代に始まりました。当時は東西冷戦のさなかで、諜報活動への応用が主な目的だったようですが、ほとんど成果を収めることができませんでした。

コンピュータの黎明期だったこの時代に、縦軸、横軸、そして時間軸が加わった3次元の動画データを扱うこと自体が困難だったのかもしれません。

―1970年代　～顔画像自動認識技術が登場～

顔認証技術の前段となる、顔画像自動認識の研究への機運が飛躍的に高まったのは、1970年の大阪万博です。パビリオン「住友童話館」では、訪問者の顔画像を撮影して顔の輪郭を抽出し、そこから得られる特徴量から、その人の性格を21種類のいずれかに分類する人相判断「コンピュータ天眼鏡」が展示されました。顔の輪郭抽出は、顔の濃淡を浮かび上がらせ、濃淡の大きな領域である目や顔の輪郭を抽出するという、今からみれば当たり前にも思える技術ですが、携わった研究者が最初に目や顔の輪郭抽出に成功したときは感無量だったそうです。

コンピュータ天眼鏡は出展パビリオンの話題の中心となり、撮影希望者が殺到しました。これによりコンピュータにおける伝送・制御の並列化が可能になり、膨大なデータ量処理と対話処理が実現し、それまでコンピュータ処理が難しいとされていた画像情報を本格的に取り扱う先駆けとなったのです。コンピュータ天眼鏡は、画像の自動認識研究のパイオニアとして、研究への機運を醸成するきっかけになりました。

顔を認識するだけにとどまっていたコンピュータ画像解析のステージから、同一人物かどうかを自動的に判断する顔認証のステージへと飛躍させたのは、ロボティクスの研究で世界的に著名な研究者であるカーネギーメロン大学の金出武雄教授です。コンピュータの「目」を意味するコンピュータビジョンの世界的先達として、顔認識や3D映像の黎明期を駆け抜け、AI分野でも活躍し、1990年代に自動運転でアメリカ横断を果たしています。ロボット分野の最高の栄誉と言われるエンゲルバーガー賞にも輝いています。

1974年、金出教授は、博士論文としてコンピュータによる人間の顔認識システムに関する世界初の論文を発表しています。20人分の顔画像を、それぞれ誰の顔画像か当てる実験では、75%の正解率を達成しました。今となっては75%の正解率は低いと思われるかもしれませんが、何しろ世界初の快挙です。これがあったからこそ、現在の顔認証技術に発展したと言っても過言ではないほど、非常に重要な研究でした。

―1980年代　～頭蓋と写真（肖像画）の重ね合わせ～

１９８０年になると、「スーパーインポーズ法」という白骨死体の身元を明らかにするための研究が進められました。見つかった頭蓋と、その該当者と思われる人物の顔写真を重ね合わせ、両者の輪郭や顔面の位置関係を解剖学的に検討し、頭蓋がどの人物のものかを特定する技術です。

有名な事例は古典派の大作曲家モーツァルトの頭蓋骨を巡る真贋論争です。35歳で早世したモーツァルトは、ウィーンの共同墓地に葬られましたが、墓が掘り返されて遺骨は散逸し、長らくそのありかは不明とされていました。

しかしながら、１９８０年代後半、モーツァルトのものと思われる頭蓋骨をフランスの科学者チームが徹底的に検証したところ、非常に特徴的な形（垂直の額など）を持っていることが判明しました。この頭蓋骨と、入手可能なモーツァルトの肖像画を重ね合わせると、額の輪郭、鼻の輪郭、頬の位置などが合致しました。さらに、横顔における顔の部位間のバランスが完全に一致したといいます。この検証によって、「消えたモーツァルトの遺骨」という話題に終止符が打たれたという見解があります。

1990年代　～統計的分析手法を使ったアルゴリズムが登場～

1990年代になると、統計的な分析手法を使った顔認証アルゴリズムが登場します。これは固有顔法（Eigenface）と呼ばれています。

固有顔法は、1991年にマサチューセッツ工科大学（MIT）のターク教授とペントランド教授が考案した方法です。手法自体は「主成分分析」という昔からある統計的な分析手法だったのですが、これを画像に適用した点が画期的でした。

当時のコンピュータでは、2次元の顔画像を扱おうとするとデータ要素数が多すぎて処理は困難とされていました。固有顔法では、同じ照明条件の下でデジタル化された顔画像を大量に集め、目と鼻の位置を合わせたり、解像度を統一したりといった前処理を行ったうえで、顔の特徴がよく反映されるような新たな評価指標をつくり出します。

この評価指標に基づき、顔画像が同一人物のものか、異なる人物のものかを判定します。もっとも、この方法では、単純な違いの見分けはできたものの、よく似た他人など、個人の微妙な違いを区別する特徴まで抽出するのは難しく、実用化にはやや難がありました。

顔認証を巡るアメリカの動きは早く、1993年から陸軍研究所による顔認証ベンチマークテストが開始されました。これは、世界のベンダーに声をかけ、顔認証アルゴリズムを任意に提出してもらい、セキュリティ用途などの適用性、技術の進展を客観的に把握するためのプログラムでした。現在、ベンチマークテストの主催は商務省傘下の国立標準技術研究所（NIST）が引き継ぎ、国土安全保障省（DHS）などの協力によりベンチマークを実施しています。NISTは、技術標準化や促進を図る機能を担っています。

――2000年代　～顔認証の普及を後押しした3つの出来事～

2000年代には、顔認証の普及を後押しする重要な出来事がありました。

第1の出来事は、2001年1月に開催されたアメリカンフットボールの頂上決戦

「スーパーボウル」です。7万人の観客が押し寄せる会場で顔認証システムを利用したところ、犯罪履歴があるものの、いずれも微罪の19人が検出されました。この顔認証システムは、アメリカのあるベンダーがフロリダ州タンパ警察に無償で貸し出したものです。このときはあくまでも実験にとどまり、警察が顔認証システムの結果に基づいて誰かを勾留したり、職務質問をしたりといったことはなかったとされています。しかし、安全目的など顔認証システムが実現する公益と、個人のプライバシーのバランスをどこにとるのか、といった課題を広く社会に問いかけるきっかけになりました。

第2の出来事は、2001年9月11日のアメリカ同時多発テロ事件です。他人へのなりすましによる危険人物の入国阻止を徹底するため、パスポートに印刷される顔写真や署名による本人確認方法に加え、顔写真をICチップに埋め込む電子パスポートが導入されるきっかけとなりました。どの生体特徴をパスポートに埋め込むかを巡り、議論が重ねられた結果、元々すべてのパスポートに印刷されている顔画像が採用されることになりました。また、顔画像の撮影方法なども細かく議論されました。この仕様は、国際民間航空機関（ICAO）の標準として定められ、パスポート用写真の自動撮影機などに生かされています。欧米人のパスポート写真は、かつては真正面というよりも少し斜めを向いた写真が多く使われていましたが、これを機に正面向きの写真を義務づけるなど、顔認証システムに合致するように画像の仕様が変更されています。

第3の出来事は、デジタルカメラの顔認識をはじめ、笑顔認識、プリクラでの顔認識など、2000年代に入って相次いでエンターテインメント用途に顔認証技術が爆発的に普及したことです。NEC製の携帯電話にも私たちが開発した顔認証技術が搭載されていました。

ただし、普及したのは、顔認証技術といっても、本人確認まで含めた顔認証ではなく、顔の位置や状態を特定する顔認識が中心で、顔認証の普及には、さらなる精度向上が要求されていました。まさしく当時の私は、認証精度が思うように上がらず、ひたすらもがいていました。一時、研究チームの陣容が私を含めたった2人にまで縮小されて苦境に立たされたのもこの時期です。この時期から、2010年代、2020年代に向けて、私たちNECのチームが世界トップの精度評価を得て、顔認証の普及を成し遂げるために私が打ち出した戦略・行動・工夫は、続く第3章で説明します。

第3章

世界との戦い

1 登ってみて初めてわかる世界の壁

前章では、顔認証を取り巻く技術について説明しました。この第3章では、顔認証の研究チームを率いてきた私の考え方、とりわけ世界での戦いでトップを取るために何を考えてきたのかについてお伝えしたいと思います。辛いこともあれば喜びもありました。企業研究者のありのままの姿を知っていただきたいという思いもあります。

世の中では、「日本の研究力が地盤沈下している」という指摘も聞かれますが、そのような中で私たちのように「地道な研究を重ねながら、世界を相手に勝負している研究者たちもいる」という事実をぜひ知っていただきたいと思います。

――数学と山登りに明け暮れた学生時代

実は、私は最初から顔認証の専門家としてキャリアをスタートしたわけではありません。子供のころから数学が好きで、高校に入ってから数学や読書にのめり込む一方、部活動は山岳部に所属し、機会があれば山に登るという生活を送っていました。

子供のころから家族で山に登っていたので山は好きでした。それで高校では山岳部に入ったのです。マラソンなど長距離を走るのも好きでした。山登りもマラソンも「長い戦いの末に目標を達成する」という意味では似ています。大きな壁をじっくりと克服することが好きなのだと思います。

１９８８年、大阪大学工学部応用物理学科に入学し、大学ではワンダーフォーゲル部に所属しました。１年生の夏休みは約60日間ありましたが、そのうち実に54日間は山に登っていました。それほど山の魅力に取りつかれていたのです

３年生のとき部長になり、同時に関西地区の大学のワンダーフォーゲル部をまとめる連盟の委員長も務めました。総勢３００人ほどが所属する大きな組織で、組織のまとめ方について学ぶいい経験となりました。

その年、台湾に１カ月滞在し、富士山より標高が高い玉山（ぎょくざん）（昔は新高山（にいたかやま）と呼ばれていました）に登りました。山頂部は雪が深くて残念ながら頂上の一歩手前で引き返しましたが、ワンダーフォーゲル部での最後の合宿として良い思い出になりました。

今振り返ると、山は私にとってリーダーとしてのあり方を学ぶ場でした。ひとたび山に入って仲間を迷わせたら、すべて私の責任です。山ではリーダーとしての責任はありますが、全員が同じ目的を達成するために戦う仲間です。そのような環境の中で自分の役割を冷静に見極め、全体を俯瞰（ふかん）しながら危機にどうやって対処するかを常に考えました。私は山に育てられたと言ってもいいでしょう。

大学院に進むと理論物理を専門に研究し、博士課程では1つの数式を解くのにレポート用紙を100ページくらい使うような数式を解く毎日でした。理論物理の世界にはとんでもなく賢い人がいて、そういう人に比べると自分はそこまで芽が出なかったことになります。特に理論物理で芽が出る人というのは、想像を絶するほど頭がいいのです。そのような人を目の当たりにすると、自分は論文を書いて食べていくのではなく、むしろ社会に出て何か世の中の役に立つ研究をしようと考えるようになりました。このように同じ研究者でも、大学などで研究職を続けるのではなく、私のように企業の研究所で研究に携わる研究者もいます。

──30歳を過ぎてから顔認証の世界へ

大学院を終えた私は、1997年にNECに入社し、基礎研究所に配属されました。当初は脳の視覚情報処理に関する研究に取り組んでいました。目で捉えた情報が網膜から大脳皮質に到達し、一次視覚野に届くといった流れを数学的にモデル化する仕事です。この研究自体はとても楽しく、良い上司や仲間にも恵まれました。

しかし、こうした分野を短期間で事業化まで持ち込むのは容易ではないことが徐々にわかってきました。また、会社としても基礎研究から応用研究へと研究の軸足を移そうとしている時期でもありました。結局、その研究は開始から5年で凍結となってしまいました。そのため、私は顔認証の部署に異動することになります。2002年、32歳のときでした。当時、メンバーは7、8人いて、私は一番肝となる照合の部分を担当することになりました。

もし博士課程を終えて配属されていれば、顔認証で5年くらいの経験を積んでいたはずなのに、私は大学の専攻はもとより、入社後もまったく別の部署にいたので、32

歳で初めて顔認証に接したようなものです。顔認証どころか、そのベースになる画像認識のことさえ知らない〝新人〟がこんな重要な部分を担うのですから、最初から大きなハンディキャップを抱えていました。それからの2年間はとにかく追いつくことに必死でした。

自分の年齢を考えると、これが最後の研究テーマだと思っていました。研究者の場合、30歳を過ぎてからそれまでとテーマをがらりと変えるのはかなり不利になることは明らかだったからです。ここで芽が出なければ、研究職をあきらめて、どこかの事業部に移ろうとさえ考えていました。もう1つの選択肢として、医学部を受け直して医学の世界に転身することも考えていました。ただ、ちょうど子供が生まれた直後で、そこまでの踏ん切りもなかなかつきませんでした。

となると、「やはりNECでとことんがんばるしかない。ここにいる以上は、最後の研究だと思って、思いっきり悔いのないようにやろう」と気持ちを固めました。だからこそ、「どうせやるのなら、研究から事業まですべてを理解したい」という気持ちに切り替えることができたのかもしれません。

――2000年を境に、顔認証技術が注目されるようになる

私が顔認証部門に移る前の2000年ごろは、まだ顔認証自体の知名度がまったくないに等しい時代でした。ところが、この状況が大きく変わる事件が発生します。それは2001年9月11日に起こったアメリカ同時多発テロ事件です。この事件を境に、社会の安全性やセキュリティを重視する考え方が強まり、出入国審査での本人確認に、身体の一部を活用する生体認証が注目を浴びはじめました。

元々指紋認証で定評があったNECは、この生体認証のニーズの高まりを受けて、顔認証にも力を入れはじめます。そして2002年に顔認証ソフトウェアを発売したところでした。とはいえ、業界全体として、顔認証は現在の水準と比べれば精度が非常に低く、その信頼性は印鑑にたとえれば「三文判みたいなもので、とても実印としては使えないレベル」と揶揄(やゆ)されたものです。

第1章で説明したように、顔認証技術は、「まず顔を検出し、次に瞳の中心や口角などの顔の特徴点を検出し、最後に顔の特徴量を抽出して、顔を照合する」という過

程があります。異動したばかりの私に命じられたのは、第2章で説明した顔の特徴量を抽出して、照合する技術の担当でした。それまでこの分野の基礎となる画像処理について研究した経験はなく、まったくの丸腰からの挑戦でした。

――「エラー率0・3」の意味

当時の顔認証は技術的にまだ黎明期にあり、照合対象に証明写真のような最も状態の良い画像を使った場合でも、顔認証のエラー率（認証に失敗する率）は10～20％ほどでした。つまり正しく照合できた率に置き換えれば、エラー率の裏返しですから80～90％ということになります。

私たちが使っていたのは、現在の深層学習ベースのAIとは異なり、顔の部分ごとに特徴を抽出して、2枚の画像の特徴が合うか合わないかで本人か否かを判定する方法でした。単純に言えば、2枚の絵を重ね合わせて、どのくらいズレがあるかを調べる方法です。

私が引き継いだとき、たまたま認証が難しいデータがあり、そのケースでは顔認証のエラー率が3割ほどもありました。つまり「10人チェックしたら3人は間違う」というレベルです。さて、そのエラー率を「10分の3」という意味で「0・3」と社内の発表会で説明したら、指紋認証の研究者から「0・3というのは、0・3%のエラー率（1000人中3人のミス）ということですか」と聞かれたので、「いやあ、30%です」と答えたところ、「それって役に立つんですか」と言われてしまいました。私は「役に立つかどうかわかりませんが、役に立つようにがんばります」としか答えられなかったことを今でも覚えています。

せっかくがんばろうと心を決めて取りかかった研究でしたが、こういう状況は辛いなとしみじみ思いました。もっとも、社内の発表会で顔認証がうまくいったときは、「顔認証も当たるのです」と冗談めかして言ったこともありますから、当時としては楽しみながら研究をしていたのだと思います。当時、「当たる」という表現をよく使っていたこと自体、そのころのエラー率の高さを物語っています。

元々NECは、指紋認証に関して歴史も実績もあり、高い精度を誇っていましたから、「0・3」という数字を見て、指紋認証の担当者が0・3%のエラー率（つまり99・7%の正解率）と思っても決して不思議ではありません。その担当者は決して意地悪く言ったわけではないと思いますが、「30%のエラー率」というのは、指紋認証関係者からすれば、ありえないほど悪い数字だったことになります。

それでもチームで開発を続けた結果、「当たる・当たらない」のレベルを脱却し、大幅に認証精度が改善されていきました。２００４年には海外のシステムに採用されるという成果がありました。これは初の製品出荷と言えるものでした。しかしながら、このように海外で一定の評価を受けたものの、その一方で私には事業としての閉塞感もありました。どうすれば市場で認められるのかが常に頭から離れませんでした。

――チーム2人という危機的な状況に

第2章で「顔認証はＡＩに支えられている」という話をしましたが、２００５年ごろまでは、前節で述べた「顔の部分ごとに特徴が合うか合わないかで本人か否かを判定する」という絵合わせ的な手法で開発していました。深層学習ベースのＡＩを採用したのは、さらに後の話です。

これは業界全体に言えることですが、機械学習を用いた手法もそれなりに研究されていたとはいえ、当時の技術ではなかなか思うように顔認証の性能が上がらず、頭打ちの状態にあったことも事実です。ＡＩが活躍する現在から見れば、非常に単純な方式でした。当時世界トップと言われたドイツの顔認証専業メーカーでさえ、エラー率は20%といったレベルでした。

絵合わせ方式には限界があり、あれこれ工夫はしてみるものの、顔の変化があるとうまく対応できない問題がありました。特に出入国審査のようなシーンを考えた場合、パスポートには10年有効のものもあります。言い換えれば、現在の顔と10年前の顔写真とで照合しなければなりません。そのような顔の変化は単純な絵合わせでは対応できず、数学的手法や統計学的な手法を徹底的に駆使するしかないと悟りました。それはまさしく今で言う機械学習でした。

当時、いろいろな論文に目を通していましたが、多くの顔画像を集めるのが難しかったこともあり、少ないデータで効率的に学習する方法が研究テーマとして主流でした。しかし、それはあくまでも大学の研究者の発想です。美しい数式で誰かをねじ伏せる必要があるのかと自問自答しました。企業研究者としては、論文を書くことが最終的なゴールではなく、市場に認めてもらえる技術を生み出すのが使命です。そう考えれば、ある意味、力業でもいいので、とにかくデータを大量に集めて、学習に学習を重ね、調整を繰り返して、誰よりも優れた性能を上げればいいのだと考え直したのです。

それから数年間、顔認証のアルゴリズムの改良に地道に取り組みました。

ところが、なかなか大きな事業につながらなかったことが原因だったのか、社内で顔認証はあまり日が当たらない存在でした。悪いことにチームのメンバーが次々に別の部署に異動となり、とうとう私と新人の研究者の2人だけという崖っぷちの状況になりました。この展開には相当落ち込みました。現場では、爆発的とは言わないまでも、それなりに製品出荷ができていたので、ある程度は事業になっているという自負もありました。にもかかわらず、陣容は小さくなる一方で、環境面がついてこないことに焦りが募るばかりでした。

――起死回生を目指したNISTベンチマークへの挑戦

2007年、そんな顔認証チームに転機が訪れます。顔認証事業に関わる社内関係者が一堂に会するフェイスサミットという会合が、香港で開催されました。私たち研究チームだけでなく、海外の事業部門の人々も集まり、顔認証事業について話し合う場でした。

そこで、多くの関係者から「ＮＩＳＴ（が主催するベンチマーク）に参加してはどうか」と声をかけられました。ＮＩＳＴとは、アメリカの国立標準技術研究所（National Institute of Standards and Technology）の略称です。商務省の傘下で技術・産業などの規格の標準化を担っている政府機関です。

このＮＩＳＴは、顔認証技術を中立的な立場から正当に評価するために、国際ベンチマークを開催しています。ここで言うベンチマークとは、一種のコンテストのようなもので、ここで一定の評価を受けた顔認証技術であれば、各国の政府機関も安心して導入できるというわけです。実際、政府調達などでは、このＮＩＳＴのベンチマークの上位入賞が入札資格に設定されることも多く、非常に権威のあるものです。

世界に冠たる標準化機関が実施する公正・中立なベンチマークですから、ここで入賞実績があれば、世界に通用する技術として最高水準のお墨つきを与えられたことになります。フェイスサミットで、私が世界各地の事業部からＮＩＳＴのベンチマーク参加を急かされたのも無理はありません。そこでいい成績を叩き出せば、世界各地の事業部でも販売攻勢をかけやすくなるからです。当時、NECは指紋認証で世界的に非常に高い知名度を誇っていましたが、顔認証での知名度はまだまだでした。そこでベンチマークで名を売ってはどうかという誘いだったのです。

周囲からのプレッシャーは高まる一方でしたが、私に自信はありませんでした。そもそも顔認証に関わってまだ数年目です。学生時代から顔認証に関わっていたとしても、まだ博士課程修了と同じくらいの経験です。それで本当に世界と戦えるのか、という疑問がありました。

2009年ベンチマークのエントリー締め切りはまだ先でしたが、私たちの当時の技術力を考えると、エントリーすべきかどうかの判断をあまり先延ばしするわけにはいきませんでした。このまま先送りしていてもチームの人員を増やしてもらえるわけがなく、ジリ貧になっていくという危機感もありました。その一方で、当時、開発していた顔認証アルゴリズムであれば、そこそこの成績が出せるかもしれないという期待感もありました。

顔認証には、「顔を検出して、その特徴点を抽出して、最後に特徴量を抽出・照合する」という段階がありますが、結局、最後の特徴量抽出・照合の部分で差がつきます。その担当が私でした。NECチームの場合、顔の検出や特徴点の検出の精度は悪くなかったのです。そこでは勝敗に大きな差はつきません。これが意味するのは、私自身ががんばるしかないし、がんばらなければ負けるということです。

どんなにチームが縮小されてジリ貧になっていたとしても、そこは大勢に影響しないのではないか。照合より前の過程にメンバーがたくさんいれば、精神的には安心できるかもしれないが、そこで勝利が約束されるわけではない。逆にそこにメンバーが潤沢にいなくても、勝利には直接関係ない。ならば2人や3人のチームに縮小されても、嘆くようなことではない。どちらにしても、答えは同じだ。照合で勝負をかければいいじゃないか。そう考え直したのです。顔認証部門に来る前は脳を研究していたこともあり、自分のメンタルと論理的な考えを切り離すことには慣れていました。

――NISTベンチマーク参戦への準備を始める

NISTベンチマーク参戦を決意した私は、その対策に動きはじめます。顔認証の精度を高めるには、実際にさまざまな顔を読み込ませ、判定結果を見ながらアルゴリズムをコツコツと改良する以外にありません。まだ「ビッグデータ」という言葉が広まっていない時代です。それでも「とにかくいろいろな顔が必要」という思いに駆られて、手を尽くしました。

精度を上げる作業は地道で、辛いものです。正直に言えば嫌なものです。しかし、2人だけのチームで、リーダーの私まで嫌な顔をして取り組んでいたら、良い成果は出ないと考えました。そこで、嫌なことなら、いっそのことゲームにしてはどうかと思いついたのです。つまり、性能を上げなければいけない項目がいろいろあって、部下と手分けして取り組んでいたのですが、毎週、「良い成果を上げたほうが勝ち」という単純なゲームです。

そのときの部下は、学生時代に画像認証の研究をした経験がありました。私たちの技術が抱えていた多くの弱点をそれぞれがアイデアと知恵を絞って改良する競争が始まりました。このゲームを実に2年間続けたのです。もちろん最初から2年間続けるつもりではなく、NISTベンチマークの開催がなかなか決まらなかったため、まだかまだかと待ちながら改良合戦を続けているうちに2年経ってしまったというのが正直な感想です。

しかし、このゲーム形式は負けず嫌いの私たちに効果てきめんで、50％のエラー率が2％になったデータもありました。2年も続けたというと長く感じるかもしれませんが、実際に取り組んでいた私たちにとってはむしろ時間が足りないくらいでした。当時、機械学習や顔認証の技術を開発するうえで、参考に読みたい文献は1000件を超えるぐらいありましたし、アルゴリズム開発もしなければなりません。ベンチマーク参加に当たって組織内での説明も必要でしたから、本当に時間に追われていました。とはいえ、何かアイデアを投入する度に性能が順調に上がっていくのは、本当に楽しいものでした。

――外国人モデル1000人の写真を撮影。体当たりの精度向上

精度向上のために行った取り組みは他にもあります。某外国人モデル事務所に協力を仰ぎ、さまざまな人種の顔の膨大なデータを蓄積しはじめました。なぜ外国人モデル事務所かといえば、顔認証技術を世界の市場に売り込む以上、日本人の顔だけでデータを積み上げても世界に通用しないと考えたからです。そこで最初からさまざまな人

種の顔を対象にデータを集めたほうがいいと判断しました。

モデル事務所もさぞ面食らったのではないかと思います。畑違いのNECの研究所から若い研究者が突然やって来て、「外国人の顔を大量に撮影したい」と言われたわけですから。当時は顔認証について説明しても通じるわけはありませんでしたが、とにかくモデル事務所の社長相手に懸命に説明してようやくわかってもらえました。

社長がプロフィール写真の山を目の前に置いてくれたので、「この人と、この人も。それからこの人も」といった感じで、とにかく数を集めました。当時で1000人ほどを集めてもらいましたが、事務所の社長から「東京中の外国人に片っ端から声をかけた」と聞かされ、それもあながち嘘ではないと思ったものです。

撮影のときには、外国人モデルに研究所まで来てもらいました。待ち時間に社内をうろうろする人がいたり、ロシア人女性が連れてきた赤ちゃんが泣き出したりと、てんやわんやの状況になったことは、今では笑い話ですが当時は冷や汗ものでした。撮影は当初自分で行って、そのうち派遣スタッフにお願いするようになりました。さすがに赤ちゃんを研究所内に入れるわけにはいかなかったので、そのときはスタッフに撮影を任せて、私は赤ちゃんを抱いて屋外で1時間近くあやしていました。

顔写真の撮影に「なぜ1時間も」と思われるかもしれませんが、1人当たり100枚から200枚の写真を撮影します。少し笑ってもらったり、眼鏡をかけてもらったり、角度も変えながら次々にいろいろなバージョンを撮影するのです。

体当たり的に顔の画像を大量に蓄積し、自分たちなりの顔認証技術を磨いていくうちに、「NISTベンチマークに参加するからには勝ってやろう」と一気に前向きな気持ちになっていました。それまで数年間頭から離れなかった「どうしたら閉塞感を打ち破ることができるのか」という苦悩も、世界に挑戦することで変わるはずと考えるようになりました。

――初めて参加したNISTの2009年ベンチマークでトップを受賞

初めて参加したNISTベンチマークは、2009年の「MBGC」でした（ベンチマーク名はこのようなアルファベットの略字が多く、名称からは時期もわかりにくいので、本書では便宜的に「2009年ベンチマーク」のように、年度でも記述します）。

「MBGC」とは、Multiple Biometric Grand Challenge の略で、日本語に訳すと「複

数の生体認証によるグランドチャレンジ」という意味です。なぜ顔認証ではなく、「複数の生体認証」という名前になっていたかというと、虹彩認証や顔認証を組み合わせることによって、実用的なシステムであることを示したかったようです。

ベンチマークというと、1日戦ってすぐに結果がわかると思われるでしょうが、NISTベンチマークは何カ月、場合によっては年単位の時間がかかる長丁場のマラソンレースです。このため、毎年実施されるわけではありません。実際、この2009年ベンチマークは2年近くかかりました。

私たちとしては、2年間でできることを精いっぱいやり、どの程度のポジションになるのかまったくわかりませんでしたが、認証精度をできる限り改善し、NISTに結果を提出しました。

2009年12月、成績発表が行われ、NISTの拠点があるワシントンDCに向かいました。もしNECの結果が良くなかったら日本に無事帰れるかなど、滞在先のホテルから暗い気持ちで会場へ向かったことを覚えています。

会場には世界各国から集まった60~70人の企業研究者、製品開発者、政府関係者がいました。私はどの席に座ろうかと迷ったのですが、ちょうど真ん中辺りにアジア系らしき若い研究者の姿が目に留まったので、その隣に座ることにしました。会議開始まで緊張をほぐすためその研究者に声をかけたところ、中国系の研究者でした。私は自分がNECの研究者であること、今回2009年ベンチマークの結果を聞きに来たという話をしました。当時、NECは指紋認証で有名だったので、NECが2009年ベンチマークに参加していることに特段驚かれた様子はありませんでした。

ついに会議が始まり、結果発表です。NISTの主催者から、これまでの経緯やどういう趣旨でベンチマークを実施したかなど、私には長いと思われる説明が

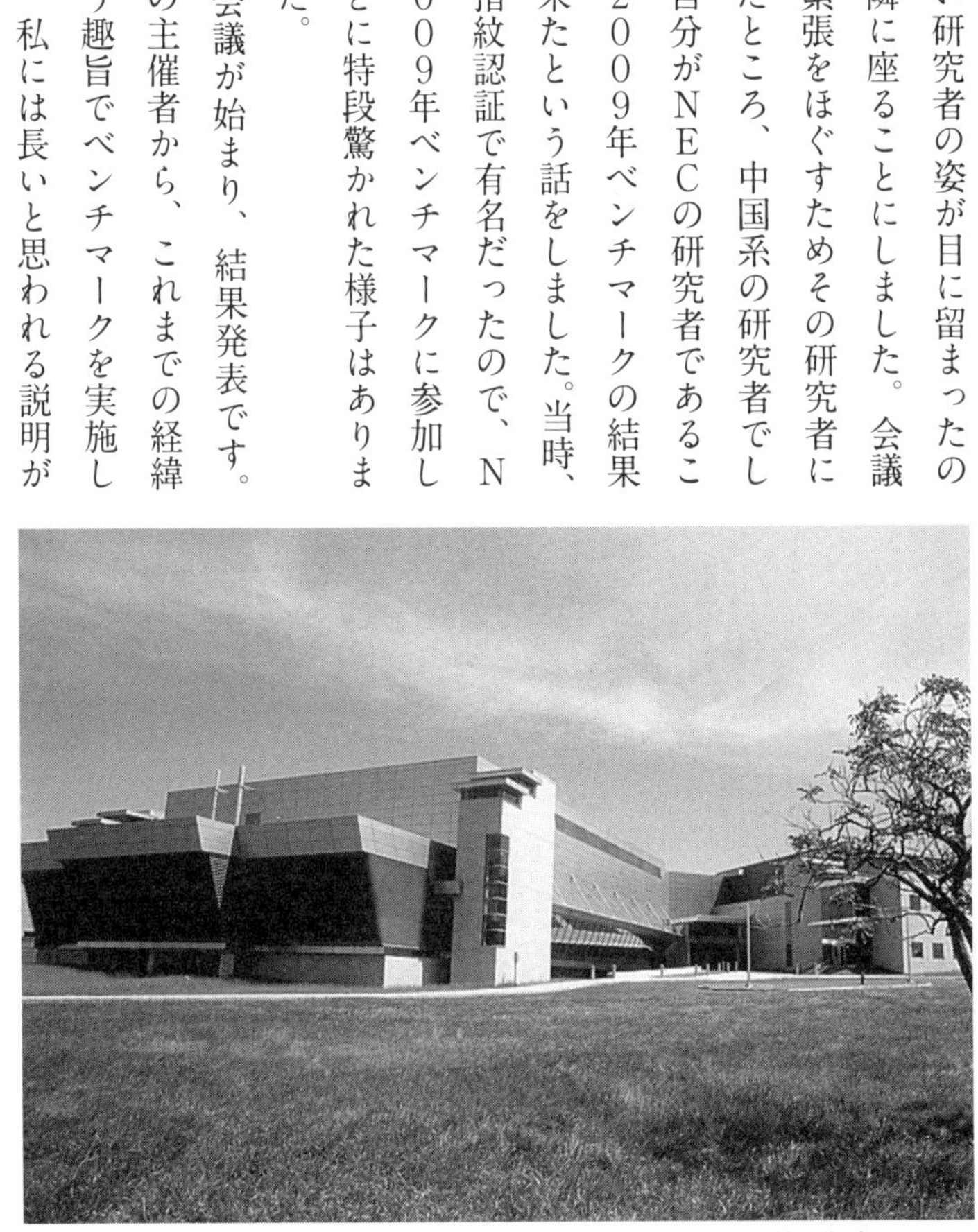

NIST ゲーサーズバーグ、メリーランド州キャンパス。ワシントン D.C. の郊外に立地

あった後、少しもったいぶった感じで結果が発表されました。

何と私たちがトップでした。朝に隣り合わせた中国系の研究者から大いに称賛されたことを今でもはっきりと覚えています。さらに驚いたのは、会議の直後にアメリカの大手企業の関係者から声をかけられたことです。ＮＥＣの結果が良かったため、私たちの顔認証技術を使いたいという、うれしいオファーでした。早速、同行した事業部の担当者が対応していました。

こうして２００９年ベンチマークでトップを取りましたが、実はその余韻に浸っているわけにはいきませんでした。この２００９年ベンチマークの内容に加えて、さらに高度な試験なども実施する２０１０年ベンチマークにそのまま突入するからです。ベンチマークとしてはそれぞれ独立した扱いなのですが、参加者からすれば、前半戦、後半戦のようなものです。最初の２００９年ベンチマークでトップを取っても落ち着かなかったのは、直後に２０１０年ベンチマークが控えていたためでした。

――2010年ベンチマークで、2年連続トップへ

2010年ベンチマークは、前年に実施された2009年ベンチマークの内容とは評価に使うデータの規模が違うものでした。2010年ベンチマークは、「MBE(Multiple Biometric Evaluation)」という名称で、Eという文字のEvaluationは「評価」という意味なので、より厳密な性能評価を目的としたベンチマークであることを意味します。2009年ベンチマークは大学の実験室で撮影された数千名規模の顔画像データでの評価でしたが、2010年ベンチマークは100万人規模のデータの中から本人を特定したり、確認したりするテストでした。つまり、難しさがまったく違います。

前年の2009年ベンチマークでトップを取ってはいたものの、夜眠れば負ける夢ばかり。ひたすら悪夢にうなされ続けました。やはり、自分の通知表が全世界に公開されるようなものですから、そのプレッシャーは想像を絶するものがあります。

2010年1月から4月にかけてテストが実施され、世界7カ国から10組織が参加

しました。参加チームは顔認証用のプログラム一式を用意してＮＩＳＴに預けます。ＮＩＳＴはこれを使って、一定の手順でテストを実施します。このため、参加者が評価作業に関与することはまったくありません。要はプログラムをＮＩＳＴに預けたら、あとは結果を待つのみとなるのです。さらに、プログラムが正常に動作しなかった場合は、参加者側に責任があります。

３月に発表された中間評価でいったん途中経過のランキングが発表されます。他社の名前は伏せられた全体のランキングなので、自社がどのあたりにいることしかわかりません。

ただし、スポーツの競技と同じで、そこには駆け引きもあります。予選で手の内をすべてさらけ出してしまえば、本戦で戦いにくくなります。ＮＩＳＴベンチマークも似たようなところがあります。つまり、この中間結果を見て、他社は戦い方、性能の上げ方を考えるわけです。ライバルを油断させるために、中間時点ではあえて低い数字しか出してこない企業もあるはずです。私たちは初めての参加ということもあり、他社がどういうレベルで挑んでくるのかについて、まったく予想がつきませんでした。中間発表でトップだったとはいえ、気を抜くことはできません。

２０１０年ベンチマークには、２０１０年4月末に調整に調整を重ねたプログラム一式をＮＩＳＴに提出しました。ここで3年近くに及ぶ戦いがようやく終わりました。あとはＮＩＳＴが各社の製品を使って評価するという流れです。

1カ月後の結果発表を待つのみとなりました。終わった戦いをあれこれ考えても仕方ないとわかっていても、どうしても気になってしまいます。頭の中をからっぽにするため、時間があればがむしゃらに走って汗をかいていました。

２０１０年6月、ついに結果発表の連絡がありました。ＮＩＳＴから届いたのは「報告書を作成した」という1通のメールです。そこに報告書へのリンクがありました。受かるはずのない大学受験の合格発表を見るときのような思いで、冷や汗をかきながら、おそるおそるリンクをクリックした瞬間を覚えています。

結果は衝撃的でした。なんと世界トップだったのです。私たちがエントリーしたアルゴリズムのエラー率は０・３％。つまり、正しく照合できた率は99・7％でした。図表３－1をご覧いただくとわかるように、エラー率は第2位のチームでも2％台だったのに対して、トップの私たちは０・３％とダントツの成績だったのです。まさに桁違いです。

図表3-1
2010年ベンチマークの結果

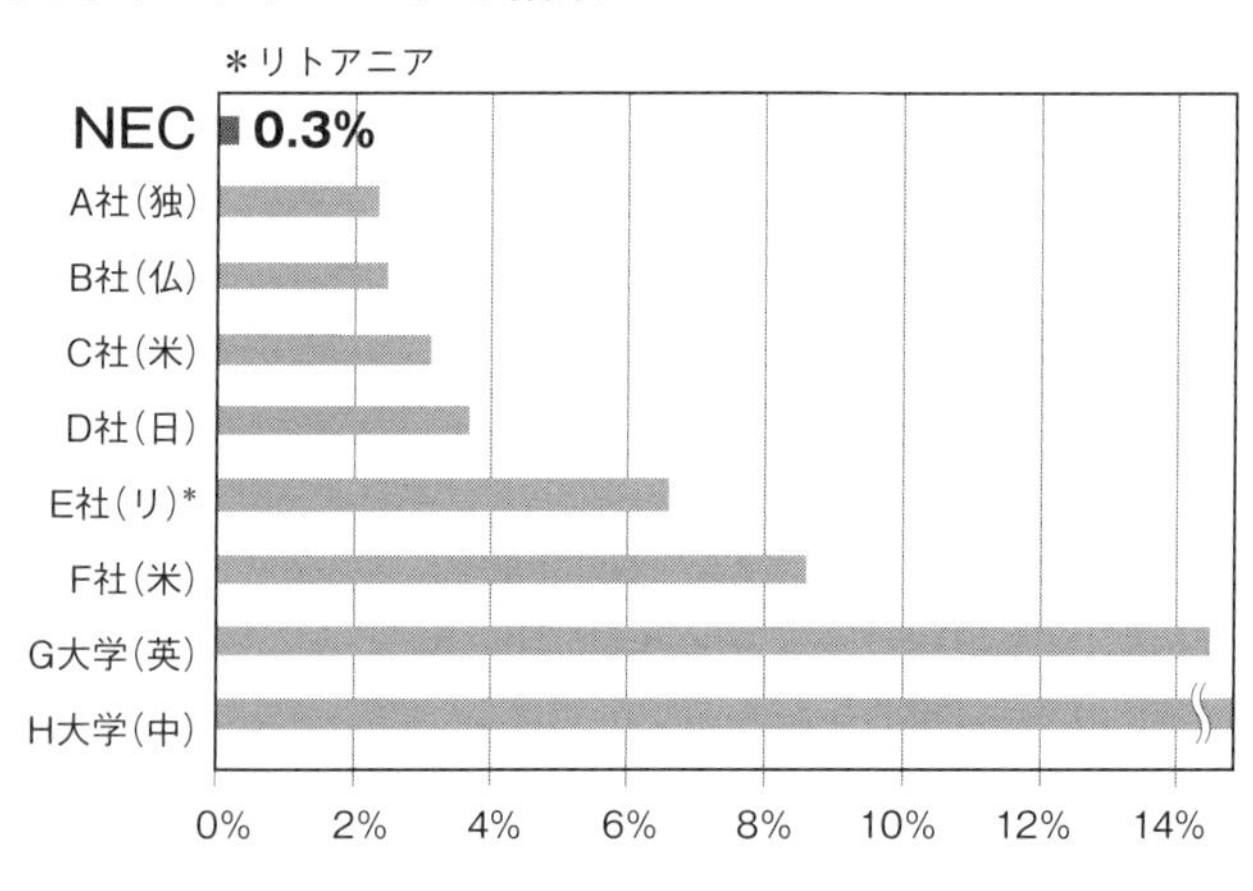

他社の状況を知らなかったので、〝勝ちすぎ〟とも言える成績でした。また、160万人分の顔画像から本人を検索する検索速度の戦いもあったのですが、こちらも1つの画像当たりの検索時間が0・3秒と、他社を大きく引き離していました。

そのときの私は当然うれしかったはずですが、むしろ記憶に残っているのは、「まだしばらくNECでこの研究を続けられる」という安堵感でした。それほど当時は追い詰められていたのです。

さらに、年月の経過で変化する顔でも照合できるかどうかも評価項目にありました。1年後の顔、2年後の顔……というふうに最大8年後の顔まで使ってテストするのですが、私たちの技術は8年後の顔でも性能低下がほとんど見られませんでした。文句なしの世界一と評価されたのです。

畑違いの研究者がいきなり顔認証に飛び込み、世界で勝ち取ったトップの座でした。今思うと、私には画像処理や機械学習の専門家とは違う物理・数学や脳科学の知見があったので、これが差別化につながったのではないかと思います。いい意味で業界の常識にとらわれずに、がむしゃらにがんばったことがプラスに働いたのです。

——メディアで一躍脚光を浴びる

さて、最初に参加した2009年ベンチマークはトップだったものの、勝利をゆっくり味わう間もなくこの2010年ベンチマークに突入してしまったため、気持ちはまったく落ち着きませんでした。2010年ベンチマークでも世界トップを取ったことで、ようやく勝利を実感できるようになりました。

個人的には十分な成果を上げたと思っていたのですが、ある日ショッキングな出来事がありました。ある役員から「トップになってどういう意味があるの？　その社会的な価値は？」と聞かれたのです。これには衝撃を受けました。せっかく苦労して世界トップの評価を獲得したのに、さらにその先のことまで私が考えなければいけないのかと思いました。

しかし、よく考えてみれば、これは悪口でも嫌味でもなかったのです。むしろ、ある大切なことを気づかせてくれました。技術がどれほど優れていても、それが社会にどのように還元されるのか、世の中にどのような進歩をもたらすのかが描けないのなら意味はないとハッパをかけられたのだと悟ったからです。

企業の研究者として、経営陣をはじめとする社内全体に対して、あるいは世の中の人々に対して、自ら開発した技術にどのような価値や可能性があるのか、きちんとアピールしていかなければ、次のステージである事業化は望めません。

ちょうどNECが研究開発成果をメディアやアナリスト向けに発表する説明会が計画されていて、私もそこで技術解説をする予定でした。すでに発表用の資料を用意していたのですが、開催2日前のリハーサルで担当役員から「そんなデモでは使えない。他のものに差し替えろ」と却下されてしまいました。

どうすればメディアやアナリストが興味を持ってくれる発表内容にできるのか、必死で考えました。残された時間は2日だけ。単なる技術解説で終わりにせずに、実際に顔認証のデモを目の前で見せるほうがアピールしやすいとは思いましたが、決め手になるアイデアをなかなか思いつくことができません。顔認証にどのような価値があり、私たちがどのような成果をもたらすことができるのか、何か効果的なアピール方法はないだろうかと考えているうちに、あるアイデアを思いつきました。

昔の顔と歳を重ねた現在の顔を照合して正しく本人と識別できることを目の前で披露すれば、専門技術に詳しくない人でも驚いてくれるはず、そう考えたのです。とはいえ、誰かモデルを探して、昔の写真も持ってきてもらうような時間などありません。

私はすぐに実家を訪ね、自分が高校生だったころの写真を見つけました。それから20年以上を経た現在の写真を使い、本人確認ができるデモを二晩徹夜して仕上げました。

いよいよ説明会当日、自分の顔を使ったデモを披露したところ、大きな反響を呼び、日本経済新聞や朝日新聞にニュースとして取り上げられました。テレビや新聞、雑誌の取材が一気に増え、講演などもたびたび声がかかるようになりました。世の中に研究者の思いが伝わった瞬間だと実感しました。また、2年連続世界トップ獲得という成果が評価されて社長賞にも選ばれ、顔認証技術が社内的にも認められたのだと確信しました。

また、デジタルカメラの顔検出機能により「顔認識」という言葉がこれまでの主流でしたが、メディアなどへの露出も手伝って、「顔認証」という言葉が普及したのもこのころです。

直前にデモをつくり直すなど苦労しましたが、企業研究者としては「人に伝える」ということの重要性を実感しました。

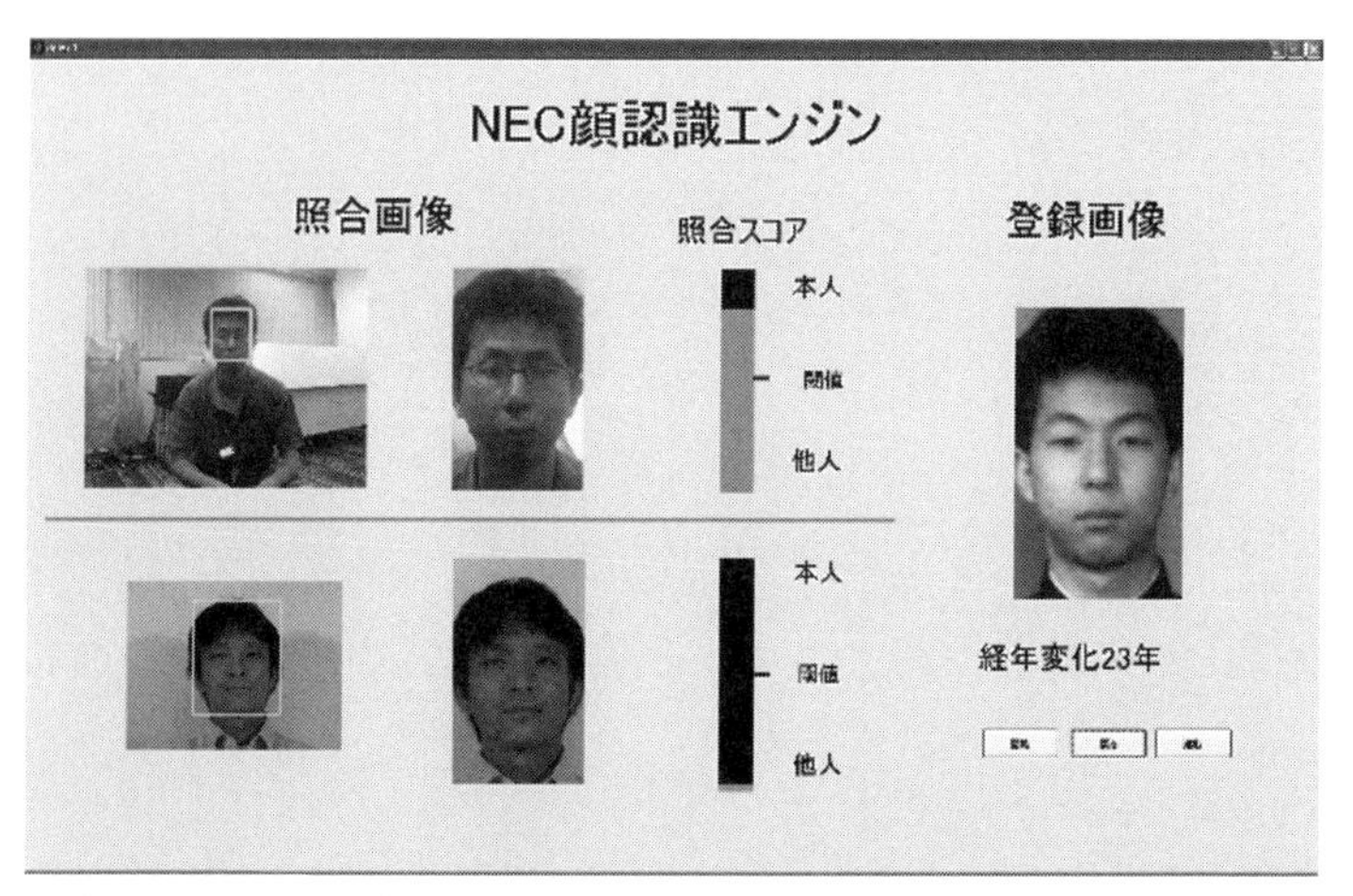

23 年の時を経ても本人確認ができることを謳ったデモは大反響。右側は筆者の高校時代の写真、左上段は筆者、左下段は他人。顔認証の結果、本人間の照合スコアは高く、他人間の照合スコアが低いことが示されている

――3度目のNIST挑戦、3年にわたって繰り広げられた過酷なレース

2011年秋、まだ前回の2010年ベンチマークの疲れも癒えていない状態で、そろそろ次があるらしいという情報が舞い込んできました。そのプレッシャーたるや、大変なものでした。

オリンピックやパラリンピックでも、初めて金メダルを取った選手と、2回連続で金メダルを取った選手では、気持ちの持ちようが違うはずです。端的に言えば、継続して勝つことの難しさです。追いかけてくる他社につかまらないように、逃げ続ける心境です。しかも、NECの手の内はある意味でばれてしまっているわけです。

しかし、周囲の期待は違います。会社の理事からは「NECには強い技術がいろいろあるが、10年後には影も形もなくなっているものも多い。顔認証はそうならないようにがんばってくれ」と言われました。そう激励されたら引くに引けません。とにかくがんばろうと心を決めました。

次の戦いとは、2013年ベンチマークである「FRVT2013」でした。FR

VTとは、Face Recognition Vendor Test の略で、「顔認証のベンダー評価」という意味です。大学や研究機関も参加できますが、この名前のとおり、企業を対象にした顔認証のベンチマークです。この回はアメリカの連邦捜査局（FBI）や国土安全保障省（DHS）がスポンサーで、世界各国から有力企業・大学など16チームが参戦しました。スポンサーの顔ぶれからもわかるように、出入国管理や犯罪捜査での鑑識利用などに耐えうる精度をNISTベンチマークの主催者は想定していました。

しかし、開催時期の〝精度〟はずいぶんと甘かったようで、名称こそ「2013」を冠していたものの、当初は2012年8月に最初のプログラム提出が行われる予定でしたが、一向に始まりませんでした。だからといって、休んでいるわけにはいきません。いつ始まってもいいように、各チームはすでに開発や改良を続けているのですから、「いったい、いつになったら始まるんだ！」とイライラも募るばかりです。NISTの担当者もこれだけをやっているわけではないですから、業務の関係でこのように日程がコロコロと変わることもあります。5カ月遅れの2013年1月にようやく始まることになりました。5カ月の間、こうしたイライラと戦っていました。

こうなると、参加者はメンタルの維持が大変です。油断すれば、必ず他社に抜かれます。まさに神経戦です。しかもＮＥＣは追われる立場でしたから、開催時期が延期になればなるほど他社に追いつくチャンスを与えることになります。こちらは差を詰められないように、とにかく走り続けるしかありません。

――人の顔の多様性を実感したニューヨークでの撮影

私たちは、撮影機材を持ってニューヨークに乗り込み、街中のいろいろな人にお願いして顔写真を撮らせてもらいました。たとえば、ショッピングモールを歩く人に声をかけて、同意がもらえたら、準備してある撮影部屋に案内するという感じでした。もちろん、私たち日本人が声をかけてもなかなか話が伝わらないので、交渉は現地のプロに任せました。ただし、撮影の予算がないので、現地で素人を雇って撮影方法を教えて、見よう見まねでやってもらいました。

横顔の撮影中に、現地の人々の顔が典型的な日本人と厚みがまるで違うことに気がつきました。顔の大きい人、体重が２００キロくらいあるような人など、とにかくスケール感が全然違ってカメラの画角に入りません。逆に人種によってはとても小柄な人もいて、その差の大きさを実感できたのは、大きな収穫でした。

　何よりも、人の顔の多様性を肌で感じることができたことは、その後の技術開発の大きなヒントになっています。アメリカでは目の彫りが深い人が多いので、上から光が当たると、サングラスをかけているかのように目の周りが暗くなります。体が大きくてあごを引いて座れない人が多いことには驚きました。「正面を向いてください」と言っても、椅子に座ると、正面を向くことができない人が結構いたのです。

　笑った顔の写真も必要なので、笑顔を注文するのですが、これも文化やお国柄

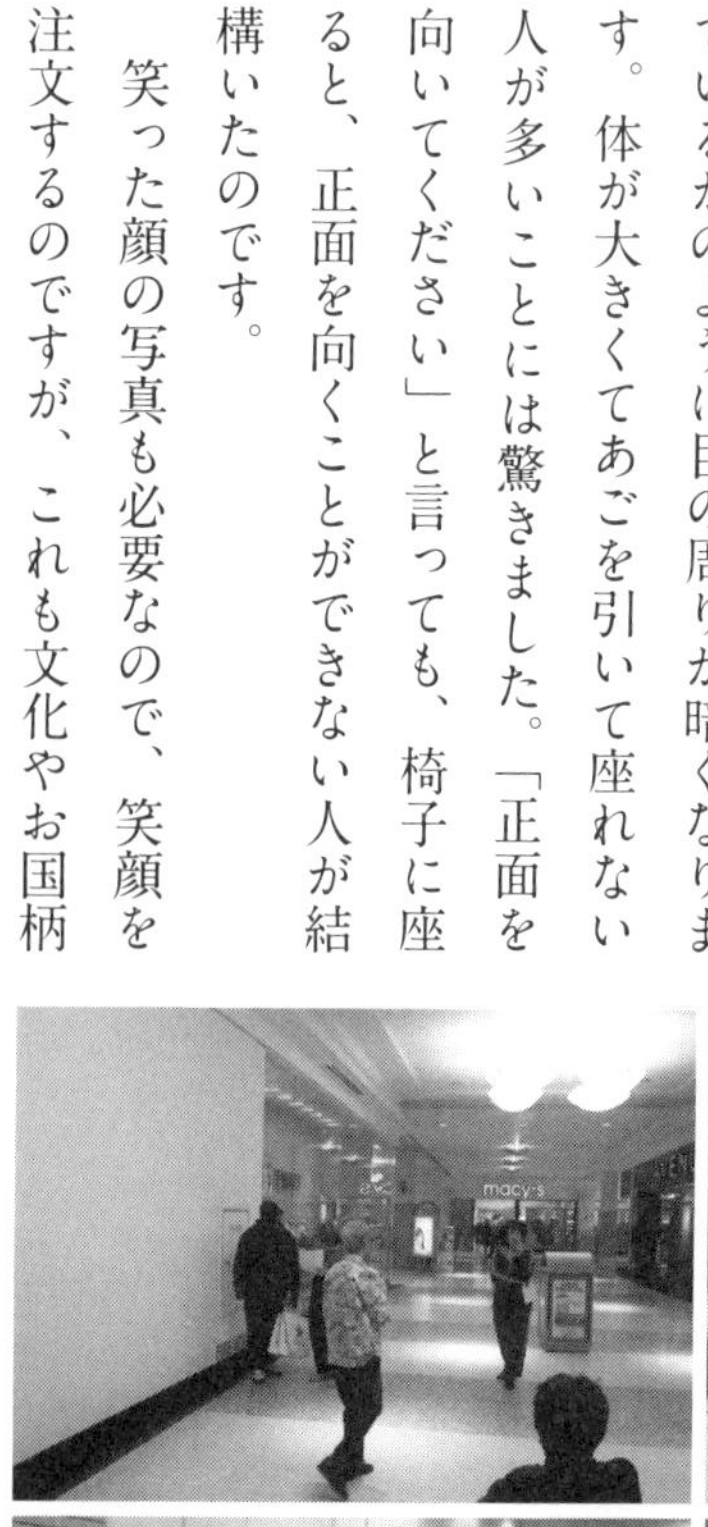

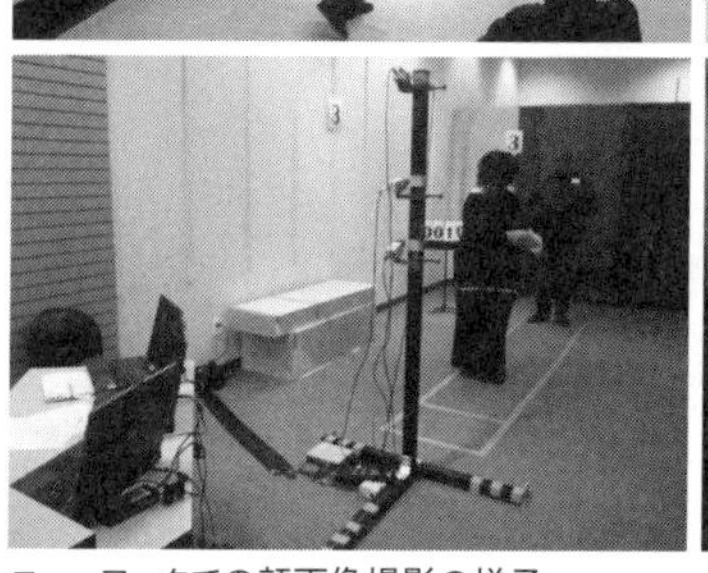

ニューヨークでの顔画像撮影の様子

でまるで違います。白人系の人に「笑ってください」とお願いすると、ワッハッハと大笑いするのです。逆にアジア系の人に「笑って」と言っても、ちょっと口角を上げるだけという人が多いのです。そこで、大笑いする人には「もう少し抑え目に」と伝え、あまり大袈裟に笑わない人たちには「もうちょっと笑って」などと、注文の仕方もあれこれ使い分けていました。

──3年連続で世界トップを獲得

2013年ベンチマークでは、プログラムを提出するチャンスが3回ありました。1、2回目の提出が中間評価、3回目の提出が最終評価になります。それぞれの段階ごとに成績表がもらえるので、この間に技術改良や調整を重ねて、3回目の最終評価に臨みます。中間評価では、成績のグラフには自社以外はA社、B社のように匿名で表示され、自社の立ち位置や、自社より上に何社いて、下に何社いるのかがわかるものです。あくまでも調整用の予備選のようなものなので、途中の段階をパスすることも可能です。

1回目の提出は、5カ月の延期の末の2013年1月でした。すでにお伝えしたように、各社間の駆け引きもありますから、第1段階のテストでは前回のベンチマークで使ったアルゴリズムを提出しました。どのくらい太刀打ちできるのか様子を見るためでもあります。その結果を見て、各チームは改良を重ねていきます。

2回目の提出は2013年5月でした。駆け引きも大事ですが、このときは私のほうが痺れを切らして、フルに性能を出し切ったアルゴリズムを提出してしまいました。

3回目の提出は2013年の10月で、あまり性能は伸びませんでした。この時期は深層学習が普及する前で、ある意味で従来型の技術では性能が頭打ちになりつつあったことの表れとも言えます。

結果の発表は2014年6月です。当初想定した2013年ベンチマークの期間を大幅に過ぎていました。2011年秋ごろから準備をスタートしましたから、3年近くの長丁場でした。

そして、結果はまたもやトップ。これで通算3回目の世界ナンバー1獲得となりました。

3年近くにわたって続いた過酷なレースの間、私たち参加者は日常業務をこなしつつつ、モチベーションを維持しながらも、ライバルの動きを注視し、技術改良を続けなければなりませんでした。

通算3回目の世界ナンバー1獲得となり、私は「顔認証をＮＥＣ社内で１０００億円の事業に育てたい」という野望を抱くようになりました。しかし、研究所だけでそんなことは実現するはずがありません。専門の事業部門を立ち上げなければならないと考え、設立に向けて奔走しました。

――一気にハードルが上がった2017年ベンチマークでもトップ獲得

２０１７年ベンチマークは「ＦＩＶＥ」という名称で、２０１４年夏に内容が発表されました。最終的に２０１７年春まで続いたので、前回同様の長期戦となりました。「ＦＩＶＥ」とはFace in Video Evaluationの略で、「動画顔認証の評価」という意味です。過去3回（２００９年、２０１０年、２０１３年）のベンチマークはすべて静止画を対象としていましたが、今回は動画に映っている人物の顔から識別する動画顔認証ということで、従来とは比べものにならないほど難易度が上がりました。たとえば、空港などで搭乗ゲートを通過する人物が、事前に登録されているリストのうちの誰なのか、あるいはリストに存在しない人物なのかを即座に判定しなければなりません。

このテストでも、私たちのシステムは世界トップと評価され、V4を達成しました。このときのエラー率は0・8%。つまりゲートを通過する人物を特定できた確率は99・2%ということになります。ちなみに2位の企業はエラー率が3・6%(96・4%の確率で正しく特定)でしたから、圧倒的な差でのトップ獲得でした。

このベンチマークでは、競技場の監視カメラに映ったすべての人物を特定するテストもありました。先に紹介した空港の搭乗ゲートを想定したテストはカメラの前に人が立つのですが、競技場の監視カメラを想定したテストは会場にいる不特定多数の人々を遠距離に設置された低解像度のカメラで撮影するため、認証するうえでは悪条件で、さらに難しいと言えます。

このテストでは、私たちはエラー率14・6%(正しく照合できた率は85・4%)でした。空港の搭乗ゲートのテストよりも成績は落ちましたが、2位がエラー率38・6%(正しく照合できた率は61・4%)でしたから、今回もダントツの成績でした。

Ｖ４自体はとても光栄な結果でしたが、それまでのストレスが重なり、頭の中は常にアルゴリズムのことでいっぱいだったせいか、私は初めて本格的に体調を崩しました。不眠症になり、顔には吹き出物が増え、肌が荒れてなかなか治りません。世界での戦いに連覇するということは、自分の体調との戦いでもあることを痛感しました。

──深層学習が勝敗のポイントとなった2018年ベンチマーク

２０１８年ベンチマークは「ＦＲＶＴ２０１８」という名称ですが、結果発表が遅れて２０１９年10月にずれ込みました。ＦＲＶＴとはFace Recognition Vendor Testの略で、「顔認証のベンダー評価」という意味です。２０１３年ベンチマークと同様、静止画の顔認証のテストでした。私たちは２０１７年10月ごろから参加するかどうかの検討を始めました。

前回の２０１７年ベンチマークは参加組織数が16組織でしたが、今回はアメリカ、中国、ロシア、欧州、日本などから49組織にまで急増しました。昨今のセキュリティ意識の高まりやＡＩの急速な進歩を受け、世界中で多くの企業が顔認証に参入しており、こうした傾向がＮＩＳＴベンチマークの参加組織数にも反映されていると考えられます。

この回も、アルゴリズムを提出するチャンスが3回ありました。ただし、２０１３年ベンチマークと違うのは、前回は3回目が本番という扱いでしたが、今回は2回目と3回目が本番という扱いだったことです。ＮＥＣは体力温存も兼ねて、１回目の提出は見送り、２回目の提出からの参加としました。

この２０１８年ベンチマークは、各社とも深層学習に本腰を入れてきた戦いでした。各社の深層学習がどのくらい発揮されているのか、どのくらい性能向上につながっているのかつかめずにヒヤヒヤしました。戦い方が変わってきているわけですから、実験も山のようにありました。このときはメンバー全員が疲労困憊でした。私も体調不良で夜眠れず、メンタルも相当やられました。

前回のベンチマークで私たちの技術も従来の技術に頼った部分が大きかったため、頭打ちの傾向は出ていました。基本技術はやり尽くしたと言っていいでしょう。性能を上げるためには、深層学習にかけるしかありませんでした。もっとも既存の部分で十分に性能が出ているものは既存の技術でも勝てるので、それほど心配はいりません。

順調に伸ばしていけばいいわけです。むしろ、そこに深層学習をつけ加えて磨いていけば、もっと勝てるのではないかと前向きに考えることにしました。

――「エラー率0・4％」で獲得したV5

前述したように1回目の提出はパスして、2018年6月に2回目の提出から参加したのですが、2回目で提出したアルゴリズムは、3回目に注力するため、最後まで仕上げることはやめ、ある程度の性能のものを提出することにしました。前回までと違って2回目の評価も本番という扱いで一般に公開されることになっていたのです。しかし、私としては3回目があるため、あくまでも中間結果として捉えていました。

ところが、2回目に提出したアルゴリズムの結果が期待したほど芳しくなく、それが世界中に順位と精度が公開されてしまったため、国内外の関係者から一斉に大量のメールが届きました。その中には、私にプレッシャーをかける趣旨のものが多々ありました。私としてはまだ技術向上の余力を残していたため大丈夫と思っていましたが、あまりにも私の苦境を見かねたある役員が、「今岡にメールを出さないように」というメッセージを出してくれましたし、遠藤信博会長から「あと少しだからがんばれ」という激励のメールを直接いただいたときは、本当に励まされました。今となっては笑い話ですが、社内で「メールを出さないように」とのメッセージが出たのはおそらく初めてのことではないかと思います。

2018年10月に3回目のアルゴリズムを提出しました。各チームが開発したアルゴリズムをNISTに送り、それを使ってNISTがテストするため、あとは運を天に任せ、結果を待つのみとなります。ところが一向に結果が出ません。1年が経過した2019年10月、ようやく結果が発表されました。深層学習が本格導入されて、いわば仕切り直しの戦いではありましたが、今回もトップを獲得し、V5を達成することができました。

このベンチマークは1200万人分の静止画像を対象に、特定人物を探し出す作業を繰り返し、照合精度やスピードを競うものでした。NECのアルゴリズムはエラー率0・4%で、2位企業の1・2%を大きく上回りました（図表3-2）。

検索速度は1秒当たり2・3億件という卓越した成績でした。「精度がよければ、速度は遅い」というのが一般的ですが、私たちは精度と速度の両方で圧倒的な性能を実

図表3-2
2018年ベンチマークの結果

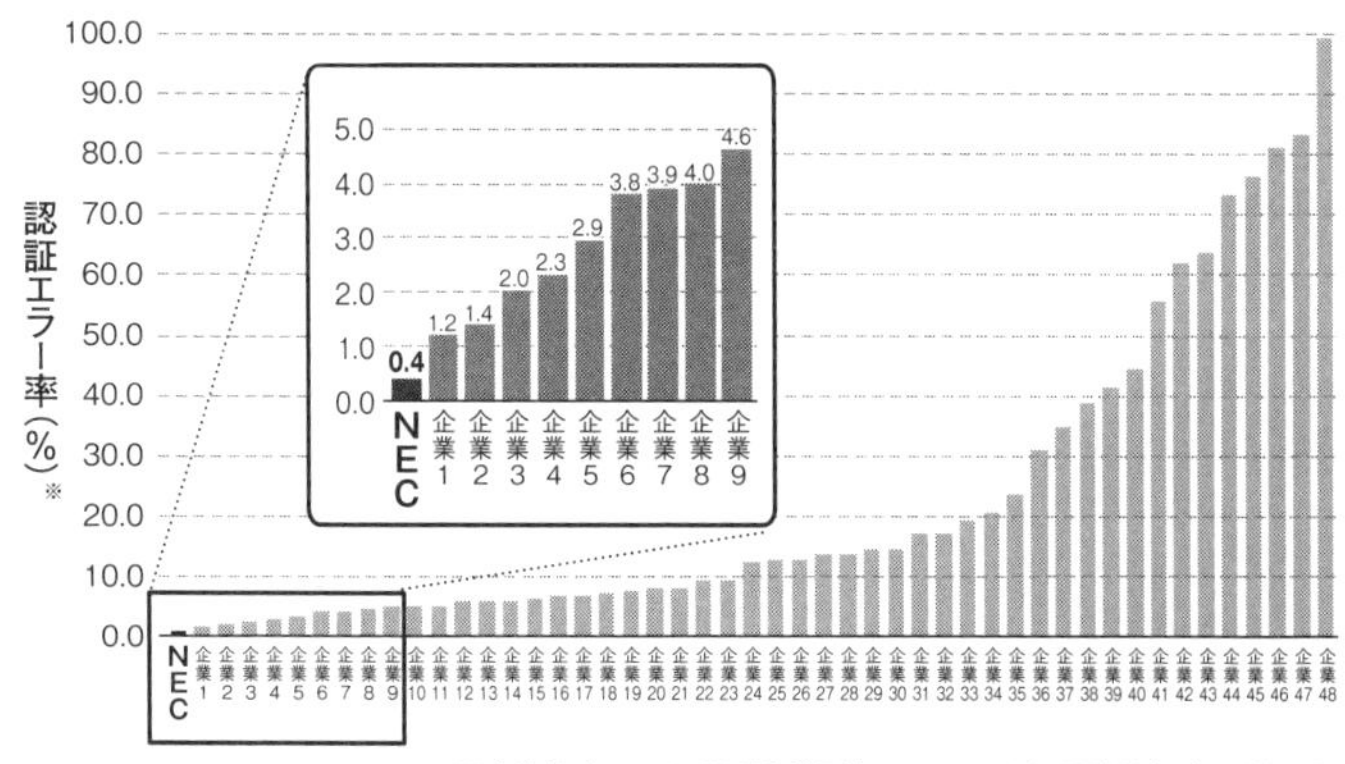

※160万人登録時における誤受入識別率0.1%での誤拒否識別率。各組織で最も認証精度が高いアルゴリズムのみで比較。"企業"表示の一部に研究機関を含む

図表3-3
2018年ベンチマークにおける認証精度と検索速度の比較

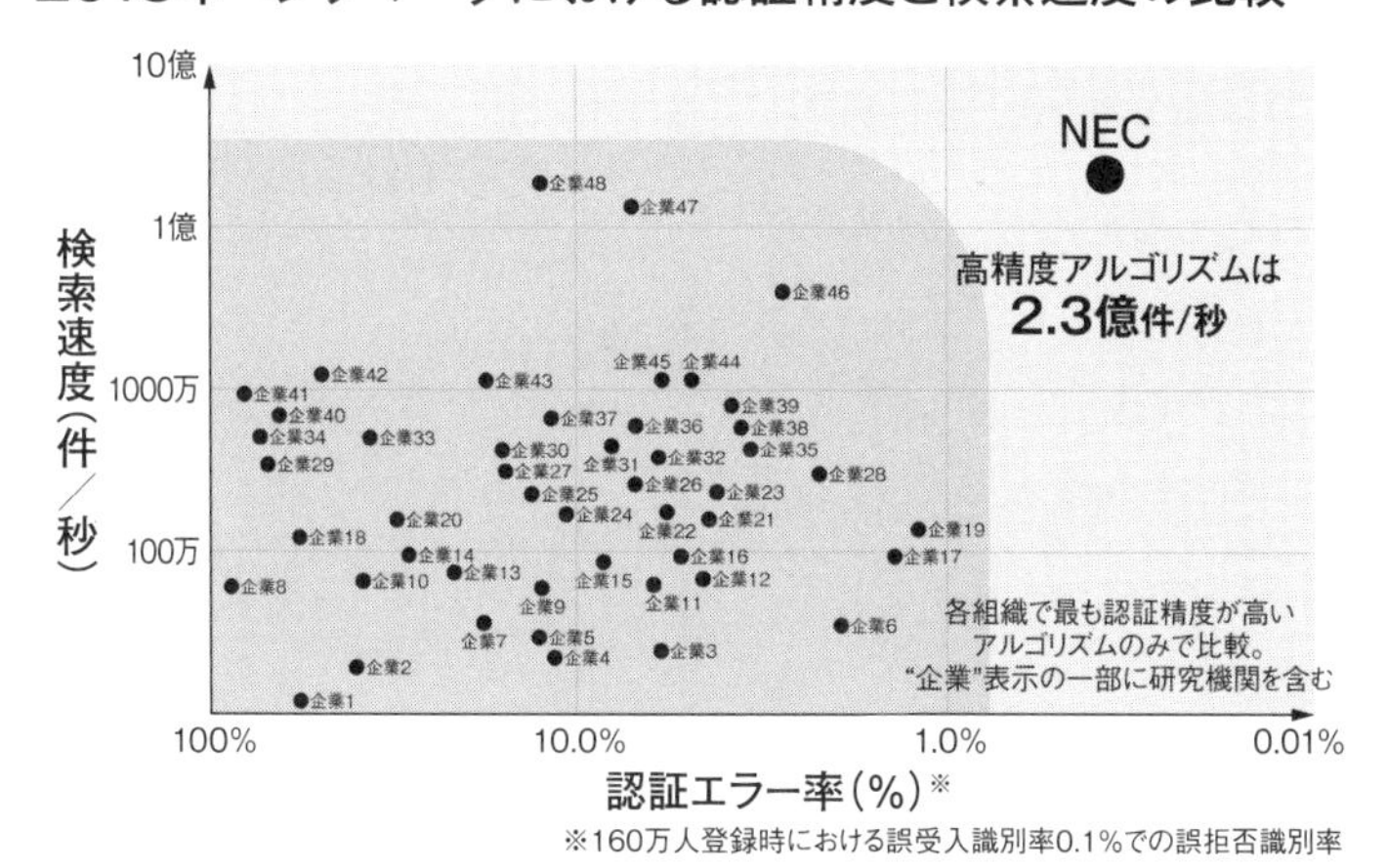

※160万人登録時における誤受入識別率0.1%での誤拒否識別率

現しました（図表3－3）。

――世界での戦いで勝ったことでわかったこと

当初は、NECの顔認証の知名度を上げるために、周囲から背中を押される形で参加したNISTベンチマークでしたが、実績を重ねるうちにV5を達成したことは先に書いたとおりです。

今、アメリカや中国をはじめ、AI技術開発では世界的に熾烈な争いが繰り広げられています。とりわけ顔認証はAI技術の中でも中心的な課題であり、2010年代以降の深層学習の発展で技術が大きく進歩しています。当然、そこに進出してくる企業も増加の一途を辿っています。それでも、世界的なAIの戦いの中で、日本にもトップを取れる企業がいるのだと世界に向けてアピールできたことは、企業としても、研究者である私個人としても、大きな自信につながりました。

世界一の実績があるからこそ、私たちの提案が受け入れられ、事業化できるチャンスも大きくなります。それを証明してくれた戦いだったと感じています。2020年もＮＩＳＴベンチマークの話がちらほらと聞こえてきましたが、みなさんもご存知のとおり、それどころではない事態が発生します。

――コロナ禍で顔認証に使える顔の領域が3分の1に

２０２０年の年明け早々、日本でも新型コロナウイルスの感染拡大がニュースになりはじめ、やがて3月ごろには世界各地でパンデミックという状況になりました。日本全国がマスク不足に陥り、ドラッグストアの前にはマスクを求めて長い行列ができました。

実はそのころ、私たち顔認証チームでも、〝もう1つのマスク問題〟が発生していました。それは顔認証で一番重要な顔がマスクで覆われてしまうからでした。マスクをした場合、顔の3分の2近くが隠れて見えなくなり、認証に支障をきたします。

とはいえ、当初、人々にマスクの着用を求めていない国はたくさんあり、「騒ぎはすぐ収束するだろう」という思いもありました。私は本当に世界中の人々がマスクを着用するようになるのか、社会情勢や政治などの動きを観察していました。

しかし、4月には日本でも緊急事態宣言が発令され、世界的にもマスク着用が広がっていきます。NECは、世界45カ国で顔認証製品を販売しているため、新型コロナの世界的な感染拡大が進むにつれて、国内外の事業部から「マスクを装着していても顔認証ができるように対応してほしい」という声が次々に届きはじめました。そこで、もうやるしかないと腹をくくることにしました。

2020年にもNISTベンチマークの話があったのですが、これまでの説明からもわかるように、ベンチマークの結果がいつ出るのか定かではないうえ、いったんかかりきりになると他の作業に対応しきれなくなるおそれがあります。「今はマスク着用に対応した顔認証技術を1日も早く製品化につなげることが最優先」と判断し、ベンチマークの参加を見送りました。

――マスク着用時でも「99・9%」の認証率を達成

本当にマスク着用時でも高い精度で認証できるのか、私たち研究者にとっては大きなハードルでした。実際、目の周りの情報だけで従来並みの認識精度を出すのは大変です。もちろん顔の中で目は重要なパーツですが、人はまばたきもするし、メガネのフレームで目が隠れたり、レンズが反射して目が見えなくなったりもするので、どうすればその人特有の特徴を拾うことができるのかを考えなければなりません。

誤解している方もいるのですが、私たちの顔認証技術では、マスクを着用した顔をその人の顔として扱うのではなく、マスクの部分をカットして、残った部分をその人の顔として扱います。というのは、マスクまで含めてその人の顔としてしまうと、マスクの位置をずらしたり、マスクの柄や色を変えたりすれば、その人の顔ではなくなってしまうからです。そこで、マスクのある部分は、そもそも存在しないものとして、残りの部分だけを顔として扱うのです。

そこで、まずマスク装着かどうかを判定する過程を最初に追加し、マスクなしであれば従来どおりの処理に進み、マスク装着であればマスク部分をカットして目の周りを中心とした残りの部分だけを対象に特徴を拾って照合を進めます。マスクありの場合も、顔の範囲こそ狭くなりますが、処理の流れは同じです（図表3-4）。

「マスク部分をカットする」と簡単に書きましたが、ひとくちにマスクと言っても、

図表3-4
マスクを着用している場合の顔認証

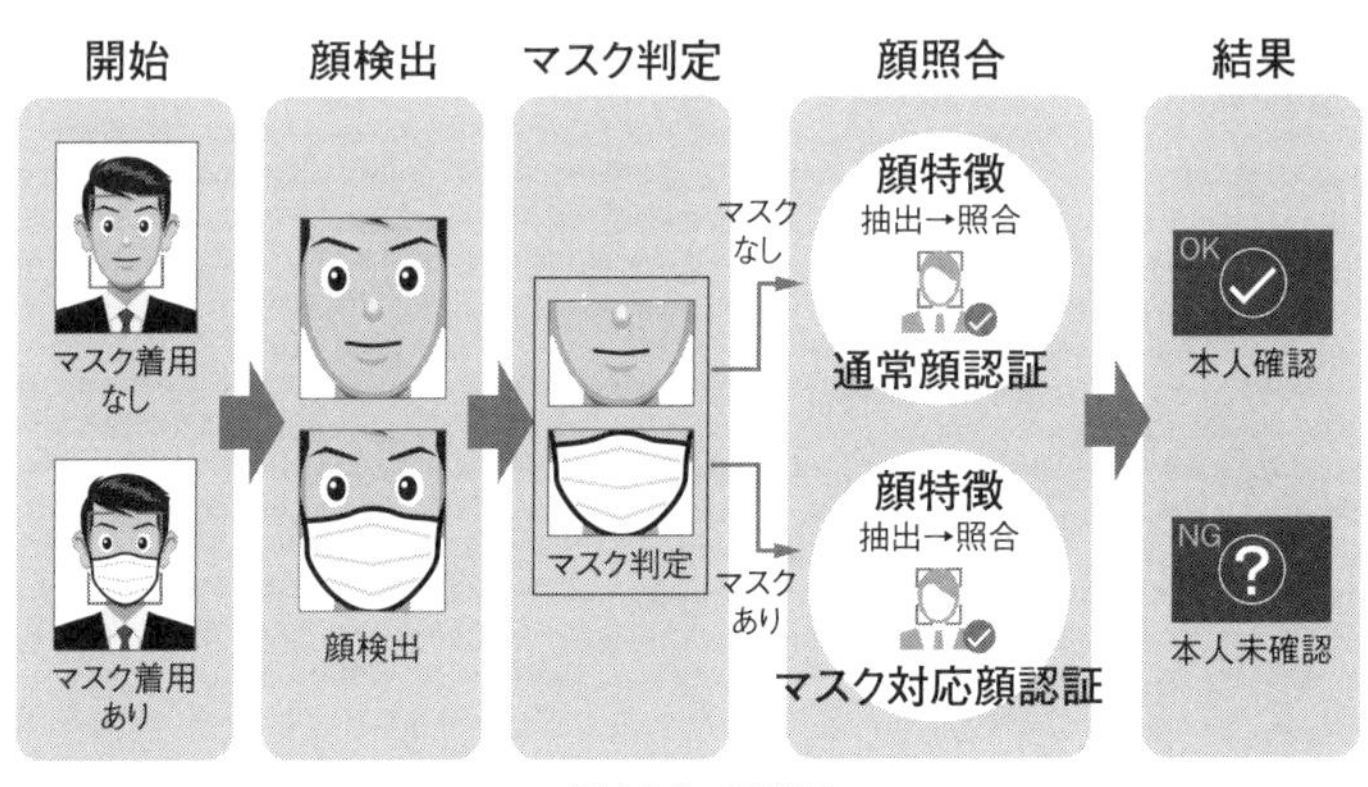

現在はマスクの色も素材も形状も柄もさまざまです。マスクの代わりにスカーフで口を覆っている人もいます。ですから「ここはマスクだ」と判定すること自体、容易ではないのです。

2020年5月ごろから着手し、実質2カ月ほどで研究開発を完了して、9月に技術発表、10月から製品販売を開始しました。社内評価による条件下では、マスク着用時に本人の登録画像と照合する場合の認証率は99・9％以上を達成しました。通常のマスクなしの場合の精度よりわずかに劣るとはいえ、十分な精度を確保できました。

メンバーががんばってくれたおかげ

で、想定していたよりもいい性能を出すことができました。多くの開発企業がマスク装着時の認識精度で苦戦しており、今後、他社も追い上げてくるはずです。

もっとも、企業間の競争も大事ですが、私たちが高精度の技術を発表すれば、世の中の人々が「マスク装着でも対応できるんだ！」と、顔認証技術への理解を深めてくれるようになります。私たち研究者にとっては、顔認証に対して社会からの信頼を得るという意義もあります。

――2021年に6度目の世界トップを達成

本書の執筆途中（2021年9月）でNISTの戦いに新たな動きがありました。2021年8月に、顔認証ベンチマークテストFRVT Ongoingにおいて、6度目の世界トップを獲得したのです。

このベンチマークでは、私自身はアルゴリズムの直接的な開発リーダーではなく、一歩引いた立場で関わりました。若い研究者が育ってきて、非常に強いチームになったからです。私自身がチームを引っ張っていたころよりも研究者の層が厚くなり、バランスのとれた強力なチームになってきたと思います。この後に続くコラム⑦では、10年間以上苦楽をともにした仲間を紹介します。

同時に、虹彩認証のNISTベンチマークテストでもトップを獲得して、顔認証とあわせて2冠となりました。今後は、技術でトップというだけでなく、事業的にも世界トップを目指したいと考えており、まだまだやるべきことは多いと思っています。

コラム⑦　苦楽をともにした仲間たち

現在、私の研究チームには10年以上の苦楽をともにした仲間が2人います。森下雄介さんと早坂昭裕さんです。現在、チーム内では、リーダー的な役割で活躍してくれている本当に優秀な研究者であり、私が自慢したい研究者です。本コラムでは、この2人のベンチマーク体験談をご紹介します。

①森下雄介さん

2008年にNECに入社して、新人でいきなり顔認証ベンチマークのプロジェクトに組み込まれました。実は大学のときの研究室で顔認識はもう研究としては廃れつつあったので、会社に入ってまた顔認識の研究をやるのかという思いはありました。私たちがNISTベンチマークで成果を上げる前で、学会の研究者コミュニティでは「顔認証では十分精度が出ない、他の研究に移るべき」と半ばあきらめられていた時期でした。

私たちのグループでは、それまで目の特徴点を検出する技術しかなく、鼻や口などの位置も検出する技術を新たにつくったらどうかと今岡さんからアドバイスがあり、目・鼻・口の特徴点検出技術の開発に取り組み始めました。1〜2年の研究開発を経て、顔認証に必要な検出位置精度の高い技術が完成しました。それで顔認証を行うと認証精度も上がることがわかり、今岡さんから「新人で成果を出してくれてすごい」と褒められました。そこで、なんとか2009年ベンチマークに貢献しようと、アルゴリズム開発もしたり休日出勤もして学習改良をしたりして、がんばりました。しかし、どの技術を出すべきかなど総合的な判断もあり、そのときは自分の技術が採用されず、悔しい思い

をしました。

しかし、その直後に2010年ベンチマークがあり、特徴点検出技術の改良を進めてさらに精度を上げたことで、無事そのベンチマークでは自分の技術を採用してもらい、それにより1位を取ることができて、とてもうれしかったことを覚えています。社長賞も受賞することができ、当時はその重大さの実感はあまりありませんでしたが、社長から直接言葉をかけていただいたり、事業部の人からも褒めていただいたりして、自分の技術で世界一になれたことに誇りを持てました。ただ、社長賞の受賞報告パーティでは参加者のとりまとめなどの準備が大変で、そこで別の苦労をしたことを覚えています(笑)。

社長賞やその後の広報のおかげで、いくつかのTV番組に出演し、両親にとても喜んでもらえたのも良い思い出です。そして、顔認証もしっかり研究するとまだまだ精度が上がっていく、そしてそれにより事業に貢献することができるという実感を持つことができました。

②早坂昭裕さん

私がNECに入社した2009年、今岡さんを中心とした研究チームはNECとして最初の2009年ベンチマークのまさに真っ只中という状況でした。当時、会社に入ってまたNISTベンチマークに関わることになるとはまったく想像していませんでした。実は私は大学の研究室時代に一度NISTの指紋認証ベンチマークに関わったことがあり、その当時かなり大変な経験をしていたので、NISTにはちょっとしたトラウマがありました。

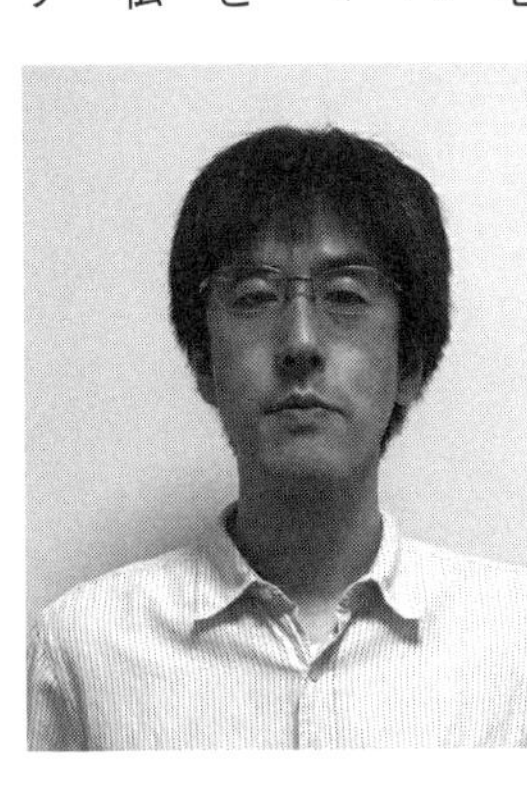

ある日、業務で今岡さんと一緒に外出した帰りに、「NISTはちょっと嫌ですね」とつい本音をもらしてしまったことを覚えています。今岡さんは私のこの発言をだいぶ気にしていたようで、当初はできるだけベンチマークとは無関係な業務をアサインするように配慮してくれていました。

しかし、ベンチマークも佳境に入り、そんなことは言っていられない状況になりました。2009の年末ごろ、2回目のベンチマークである2010年ベンチマークの終盤から本格的に参画することになりました。

当時、今岡さんは体制面でいろいろと苦悩されていましたので、これは今岡さんとしても苦渋の決断だったと思います。私が参画した時期はすでに2010年ベンチマークの終盤だったということもあり、精度改善への貢献は実はそこまで大きくなかったと記憶しています。ですが、自分の開発した技術が実際にNISTベンチマークに利用され、貢献の度合いは少ないながらも、それでトップを獲得、後に社長賞まで受賞できたことは、今振り返ればすごい体験だったなと思います。この偉業に、最後の最後にほんの少しだけ関わった私がこのような賞をいただくというのには、正直申し訳ない気持ちも大きかったです。

その後ほどなくして次のベンチマークである2013年ベンチマークが始まりますが、ここからは私も主要メンバーとして初めから参画し、とにかくがむしゃらにいろんなことをやりました。その大半はうまくいかなかったように思いますが、自分の仕事としてひとつうまくやったと思えるものは、顔照合の前処理の改良です。これによって2013年ベンチマークでのトップ獲得に少なからず貢献できたことは、私の中では誇りに思っています。その後も現在に至るまで、NISTベンチマークには毎回関わっていますが、だいぶ慣れてきたこともあって、さすがにここまでくると入社当初に抱いていたトラウマのようなものはなくなりました。入社時に「ＮＩＳＴは嫌だ」と言っていた人間が今や一番ＮＩＳＴに関わりが深いというのも、なんとも不思議な状況だなとしみじみ思います（笑）。

2 勝つために戦い続ける

──自社製品は外からどう見られているかを意識する

こうしてＮＩＳＴで連続世界トップという成果を上げてきた今、改めて振り返ると、いろいろな学び、気づきがありました。

ＮＩＳＴに挑む前の２００７年ごろ、私は競合他社を徹底的に研究していました。各社のホームページを見て公開情報をできるだけ集め、どういうニュースを出しているのか、どのような点をスペックとして謳っているかなど、それはもう「ストーカーか？」と思われるほど丹念に公開情報を読み込んでいました。どのような人が担当していて、どのような論文を書き、どのような特許を取得しているかなど、徹底的に情報を集めました。

さらに企業として製品をどのようにアピールしているのか、ウェブサイトの構成から何から細かく見ていくと、とても役に立ちました。要は「自分たちの製品が外からどう見られているか」という意識の違いが見えてくるのです。

おそらく普通の研究者はそういうことをしないと思います。やはり自分が開発している技術を極めることに注力するのではないでしょうか。もちろん、事業部はライバル企業の動向に敏感ですが、研究者は技術自体に関心が強く、製品になってしまうと興味を失う人が少なくありません。ましてライバル企業の製品にまで関心を持つ人は珍しいと思います。その意味では、私はちょっと変わっていますが、ライバル各社の製品の売り方やアピール方法などを見ているうちに、製品づくりのなんたるかについて学びました。

――アンコントローラブルをいかに減らすか

私はいつも物事をアンコントローラブルか、コントローラブルかに分けて書き出し、徹底的に考えるようにしています。アンコントローラブルとは、平たく言えば「手に負えないこと」であり、コントローラブルはその反対で「手に負えること」です。

たとえば、難易度の高いプロジェクトを与えられた場合、ただ「難しい」と騒ぐのではなく、冷静沈着に何がアンコントローラブルで、何がコントローラブルなのか、細かく切り分けていきます。徹底的に分解していくのです。

仮に「1000万円の予算なんて会社が承認するわけがない」と一見アンコントローラブルな大きな塊に見えても、細かく因数分解していくと、実はコントローラブルな部分がいくつもあることに気づきます。「なんだ、全額、今すぐに必要なわけじゃないな」とか、「半分なら役員に掛け合えば何とかなる」とか、「この障壁は○○さんを説得すれば解消する」といった具合に、手に負える部分もごった混ぜにして「そんなの無理」と思い込んでいた可能性があるのです。

そういうコントローラブルな要素を取り除いていくと、アンコントローラブルなものは、意外に少ないことがわかります。そして、どうがんばってもコントローラブルにならないものは仕方がありませんが、それでもそこを取り巻くコントローラブルな部分でがんばることで、アンコントローラブルな部分を克服できる可能性もあります。

私はこうしたアンコントローラブルとコントローラブルの因数分解を常にノートに

書き出しています。そしてコントローラブルなことは当然確実に実行します。手に負えることはきちんとやるのです。

実はNISTベンチマークに挑むに当たって、顔認証の成績は、仮にメンバーが2人になってしまっても、最終的に勝利を左右する性能の部分は自分で手に負えること、つまりコントローラブルだと判断したのです。そういうことなら自分ががんばればいいのだからチャレンジすべきだと考えました。

ちょうどそのころチームの陣容は縮小されてしまいました。これはアンコントローラブルな環境面の不利ともとれますが、一つひとつの要素を見ていけば、「自分がやりたいようにやるには機動力の高い少人数のほうがいい」というメリットであるといった具合に、コントローラブルな部分を増やし、逆にメリットに転換することができます。ネガティブなことを考えれば考えるだけ能率は下がります。自分の脳の働きを〝CPU（コンピュータの中央演算処理装置）〟に例えるなら、限られた〝CPU〟をどう割り当てるのか迷ったら、勝てる確率を高めるほうに割り当てるほうがいいに決まっています。

困難だと思ったら、「本当にアンコントローラブルなのか?」と疑ってみる。そして因数分解して、徹底的にコントローラブルにしていくわけです。アンコントローラブルの領域はゼロにはならなくても、その気になれば9割方は手に負える方向に持ち込めます。

そもそも研究者は物事をロジカルに考える仕事をしています。私で言えば、アルゴリズムをつくることが仕事です。ならば、その知能を専門分野だけに使うのはもったいない。アンコントローラブルな状況をコントローラブルにすることについてもその知能を使うべきなのです。それこそ宝の持ち腐れになってしまいます。

リーダーとしてメンバーに何かをお願いする場面でも、この考え方に変わりはありません。確かに難易度の高いことを依頼する場面もあります。そのときも、「現時点ではアンコントローラブルなのだけど、こうすることでコントローラブルになるんじゃないか」とか「○○さんに聞いたらコントローラブルになるかもね」というふうに説明するようにしています。

アンコントローラブルと思われる状況をコントローラブルな状況に転換するには、当然、工夫や抜け道も必要です。誰かに教えを乞うとか頼るという解決策もあります。あるいは、発想の転換で「押してもダメなら引いてみる」といった考え方があるかもしれません。これは数学の解法に似ています。困ったら、違う視点から眺めると、意外に解決の糸口が見えてくることがしばしばあるのです。

――世界で勝つには性能を上げるしかない

世界で勝つためには何をすればいいのでしょうか。それは性能を上げることに尽きます。性能を上げるためには、重要な部分にとことん力を注ぐほかありません。ならば最重要と言えることは何かと考えました。特に限られた人数で世界に勝つためには、確固たる方針が必要です。私が掲げた方針は、「重要なことに注力する」「最善を尽くす」「スピードを重視する」でした。

どれも当然のように聞こえるかもしれませんが、私たちの行動を分析すると、意外に余計なことをしています。やらなくていいことをやっていたら、それこそ脳というCPUの無駄づかいになります。幸いアルゴリズムを考える仕事をしているのですから、その能力を生かし、自分たちの仕事も効果的な仕事の進め方（＝アルゴリズム）を徹底的に検討してから実行しました。買い物もお店に行ってから必要なものを考えていたら、余計なものを買ってしまったり、必要な物を買い忘れたりと、無駄が多くなりがちです。しかも店内を行ったり来たりで時間もかかります。ならば最初に必要なものを書き出してから出かければ、無駄はなくなります。アルゴリズムを徹底的に検討することは、これと似ています。

また、言い訳しても何も生まれないので、その時間が無駄です。生産的ではないので、勝つための行動になりません。世の中には不可能なことはたくさんあるかもしれませんが、不可能と思い込んでいるだけということもよくあります。もちろん、踏むべき手順はあってしかるべきですが、中には何ら正当性のない無駄なステップが慣習となっているだけということもあります。そういうときは知恵を働かせて最短距離を探すべきだと思います。予算獲得にしても、アルゴリズム開発にしても、徹底的にそういう発想を追求しました。

こうやって最善を尽くせば、おのずとスピードも上がります。NISTでの戦いで長らくトップの座にあったのはドイツのベンチャー企業でした。ベンチャー企業はご存知のとおり、意思決定も行動も極めて迅速です。その即断即決のカルチャーに勝つためには、それを上回るスピードが必要です。だからこそ重要なことに注力し、最善を尽くすことでスピードを上げてきたのです。

どれも後から見れば、当たり前と思われるかもしれません。しかし、その当たり前を愚直にこなしていくことが、確かな勝利につながるのです。

また、世界との戦いは、一度きりで終わりではありません。顔認証では、アルゴリズムの良し悪しが成否を分けると言っても過言ではありませんが、勝ち続けるためには絶えず性能を改善していかなければなりません。

私はアルゴリズムの改良に当たって、次の3点を心がけています。

第1に、アルゴリズムの進化の流れを読むことです。できれば時代を先取りし、5年後、10年後にどういうアルゴリズムになっているのかを考えながら、アルゴリズム開発に取り組んでいます。

第2に、アルゴリズムの細部にこだわることです。「そんな瑣末(さまつ)なこと」と思われるような小さなことでも、その細部へのこだわり、それを追求する技術の積み上げがひいては全体的な性能の差につながっていくからです。このことは上司に教えてもらいました。

第3は、やるべきことを怠らないという点です。顔認証においては、データ収集に力を注ぎ、充実したデータベースづくりを面倒くさがらずに徹底して取り組むこと、さらに事後に評価を細かく実行し、しっかりと振り返ることです。それが次の飛躍へとつながるのです。

アルゴリズムが進化するには、こうしたアルゴリズム自体の改良もさることながら、それを取り巻く環境の進化も欠かせません。その環境とは、コンピュータのプロセッサーの処理速度と学習データのサイズです。図表3−5は深層学習が流行る前に、海外の学会の基調講演で話すために2014年に作成したもので、そのときに考えたアルゴリズムの進化を示したものです。研究者はアルゴリズムの改良のみにとらわれてしまいますが、それに伴う学習用のプロセッサー速度や学習データサイズも重要ということを表しています。2021年の現在に振り返ってみても、そんなに悪い予測ではなかったと思います。

この図にあるように、アルゴリズムを実行するためには、それを高速で処理してくれるコンピュータが必要です。深層学習にはときにはものすごい学習時間がかかります。現在のプロセッサーの速度では実行できないアルゴリズムでも、数年後に10倍速くなれば可能かもしれません。現在のプロセッサーでできるアルゴリズムだけではな

図表3-5
2014年に海外の学会で発表したアルゴリズムの進化を表している図（一部日本語訳に改変）

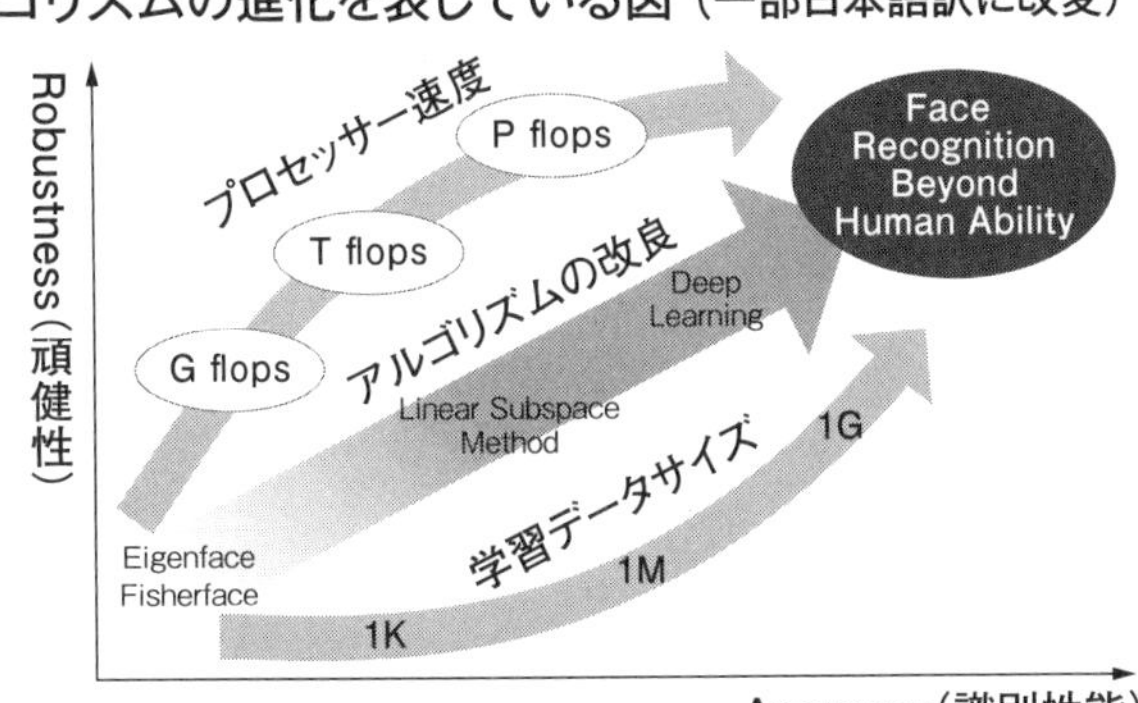

く、数年後に可能になるプロセッサーの速度を予測してアルゴリズムを考えると、発想が広がるということを示しています。

同様に、学習データのサイズも重要です。学習したデータが乏しければ、せっかくいいアイデアのアルゴリズムがあっても、その実力を発揮するためのもとになる学習データが貧弱ではいい成果を生み出すことはできません。学習データの量の中にはデータの種類もあります。顔認証には、表情変化、顔向き、経年変化など、さまざまな要因がありますが、現実に必要な種類のデータを見極めて学習させる必要があります。そういう意味では、学習データの量と質の両方が重要であると書くべきだったのかもしれません。

このような方針で、アルゴリズムを改良し続けていった結果、顔認証は今や人間の識別能力を超えるほどの性能を実現できるまでになっています。２０１４年にこの図を作成した当時は、人間の識別能力を超えるかどうかわからないと思いながら描いていましたが、この推測は正しかったのだと思います。

ところで、なぜ私はこれほどまでにアルゴリズムの改良にこだわるのか、改めて考えてみました。私は少年時代から数学が大好きでした。顔に関わるようになったのはずっと後のことですが、関わっているうちにどんどんのめり込んでいきました。どうやら私がのめり込んでいった部分は「認証精度」そのものではないかと思うのです。これは数字、つまり数値の結果です。顔認証という活動を通じて、この認証精度をいかに高めていくかがおもしろくなってしまったのです。

先にコントローラブルかアンコントローラブルかという話をしましたが、顔認証の技術開発はコントローラブルなのです。一見すると、顔のような得体の知れないものを相手にするのは大変だろうと思われるかもしれませんが、顔認証の技術は、実は論理的に詰めていくと、どんどん性能が上がっていきます。照明や眼鏡の影響への対処など、ハードルはいくつもありますが、一つひとつじっくり考えて解いていくと、あたかも難解な数式を解くかのように、コンマ何パーセントでも確実に性能が上がっていくのが見えるのです。だからコントローラブル、つまり「手に負える」ものなのです。

コントローラブルである限り、課題を一つずつクリアして一歩ずつ前に進んでいく基本をあきらめるべきではありません。プレッシャーにさらされて挫けそうになっても、最終的には自分がどれだけ冷静沈着に性能を上げていくことができるかどうかにかかっています。

――徹底的に自分を分析する

冷静沈着に性能を上げていくと言いましたが、誰でも苦手なもの、やりたくないものはあります。私も「嫌だな、やりたくないな」と思うものが少なからずあります。自分が嫌だと思うことは、誰でも先延ばしにしたくなるものです。でもそれではいつまで経っても物事は解決しないし、嫌な思いも延々と心に残ったままになります。それではいいことが一つもありません。

そういうときの対処法として、私はとにかくその嫌なことを書き出すようにしています。週末にファミレスでノートを広げ、次の1週間の予定を考えながら、一番やりたくないと思うことを書き出していくのです。書き出された嫌なことを眺めながら、どうして自分は嫌だと思っているのかと考えてみます。そうすると、単に漠然と嫌いと思っていたことが、もう少し細かく、この部分があるから嫌いなんだとか、ここまでは問題なくできるといったことがわかってきます。そうすると、思っていたよりも大したことではないとか、この部分さえクリアできれば解決できそうだといったことが見えてくるのです。自分で解決できないと思った場合には、相談する人を考えてみることも大事です。

たとえば、研究者にはありがちですが、研究方針が定まらない内容を上司に説明するという宿題を抱えていて「嫌だなぁ」と思っているとします。もちろんやらないわけにはいきません。私なら、とりあえず「上司への説明の宿題」とノートに書いて、「嫌だ」と本当に書きます。本来は「上司への説明の宿題」や「嫌だ」と書くことは何も解決につながっていないのですが、頭の中で思い詰めていると単に「嫌だ」で終わってしまうことが、ノートに書かれた「嫌だ」という1行を見ていると、「どうしてこの人は嫌だと思っているのだろう」と他人事のように客観視することができます。その宿題を分解してみて、「その宿題のどんなところが難しいんだろう？」と考えはじめます。「だったら、本を調べるとか、誰か詳しい人に聞いてみるとか、何かやってみたら」と自分に助け船を出すようになります。

ここまでくればしめたものです。もうお気づきだと思いますが、嫌だと思っていたはずの宿題にすでに片足を突っ込んでいるのです。「嫌だ、嫌だ」と先延ばしにするどころか、まるで友人の相談に乗っているように、積極的に介入している自分に気づくはずです。

このように、「ノートに書き出す」という行為は、自分を客観視するきっかけを与えてくれます。私はこういうことを恥ずかしがらずにやるほうなので、思ったことをストレートに書きつけます。「何でできないんだろう」と書いてみることもあります。「僕はアホなのか」とか「問題はそこじゃないだろう」とか、どんどん書きます。つまり、自分とずっと対話をしているのです。

NISTベンチマークに初めて挑んだときも、周囲からは「おまえで勝てるのか」

と言われたものです。そんなときノートに「おまえで勝てるのか」と、そのまま問いを書きました。それを見て少々腹が立ちましたが、同時に「あまり論理的な問いではないな」と笑ってしまう自分もいました。ちょっと和らいだ気持ちになって、ともかく「じゃあどうすればいいのか」と自分で対話しながら、勝つための戦略をいつのまにか書いている自分がいました。

実際のところ、「嫌い」ということと、「できない」ということは本来無関係です。頭の中だけであれこれ考えていると、感情面で嫌な思いばかりが増幅されて、本来なら可能なことなのに不可能とさえ思えてきます。だから、余計にやりたくないという悪循環に陥るのです。その意味でも、あえて書き出して客観視することで、解決の糸口を探ることができるのです。

私自身、そういう方法で解決策を考えることが少なくありません。「月曜日、誰かに聞いてみよう」というアドバイスを自分に与えることが多いと思います。実際、同僚や仲間からは「今岡は月曜日になると何か聞きに来る」と何回か言われ、自分でも苦笑いをしました。

3　チームで戦う

――本当にチームに必要な人材を獲得する

顔認証で世界トップを連続して獲得してこれたのは、もちろん私だけの力ではありません。チームの勝利でもあります。世界に挑戦しはじめた当時は、2人しかいない状態だったので、個人の力で勝つしかないと考えていました。しかし、徐々にチームができてくるにつれて、「組織で勝つ」という発想に軸足が移ってきました。組織力がなければ、これほどの連覇はできなかったと思います。

では、どのように強いチームを作ればいいのでしょうか。実はここで1つ課題があります。一般的には日本の企業の場合、人事部が人材を選定・採用するわけですが、そのとき、いわゆる「全体的に良さそうな人」を採る傾向があります。しかし、研究開発の現場からすれば、それでは困ることもあります。「良さそうな人」ではなく、「必要な人」を採ってもらわなければなりません。無難な研究者ばかり集めても世界で戦えるチーム、勝てるチームにはなりません。

プログラムをたくさん書ける人、速く書ける人、多彩なケースや画像を集めるのが得意な人、テストやバグ探しが得意な人など、いろいろな人がいて、それぞれが得意分野で力を発揮してくれるから、強いチームになります。リーダーは、ここをいかに掛け合わせて、チーム力を高められるかが重要です。

私は自分が欲しい人材について人事にリクエストもするし、機会があれば自ら採用面談にも積極的に立ち会うようにしています。私は中途採用も含めて、「チームにとって真の適材を採る」という確固たる意思を持って採用に関わっています。世界で戦えるチームづくりのためであれば、人材集めにたとえ何年かかろうと、その方針を曲げるつもりはありません。

——自分よりも優秀な人材を集める

チームのメンバーを集めるときに私が一番大切にしているのは、自分より優秀な人をあえて集めることです。自分より能力が低い人を集めても、あるいは自分と同じような人ばかりを揃えても、多様な力を備えた「組織力」にはなりません。

自分より優秀なメンバーを採ると、リーダーとしてチーム運営がやりにくいという声もあるようですが、そんなわけはありません。むろん優秀な人が揃えば、リーダーの意見やアイデアが論破されることもあります。それならば、自分の意見を乗り越えて、さらにいいアイデアを出してくれたことに感謝すべきです。確かに個人としてはおもしろくないことかもしれませんが、チームは確実に一歩前に進むことになるからです。

もちろん私もリーダーとして、課題に対して解決策やアイデアを必死に考えますが、部下のほうが優れたアイデアを持っている場合もあります。そのときは当然、部下の考えを採用します。仮に課題解決の方針で部下と感情面ではなく内容面で対立することがあれば、どちらもやってみればいいのです。そして結果を冷静に分析して、優れているほうを最終的に採用すればいいと思います。また、双方のいいところを融合すれば、さらに優れた方法が生まれる可能性もあります。

1人の人間の脳はたかだか1400～1500グラムしかありません。しかし、2人なら3000グラムに倍増します。個人ごとに経験（ニューラルネットワークでいうと入力データ）が違いますから、統合すれば発想も豊かになります。スポーツでも何でもそうですが、チームはさまざまな役割、能力を持ったメンバーが集まっているからこそ強いのです。アルゴリズムづくり以外にも、エンジニア、リサーチ、事業推進、営業など多様な力が必要とされます。

アルゴリズムひとつとってみても、必ずしもかっこいいアルゴリズム、美しいアルゴリズムを書ける人だけ集めれば、優れたチームになるというわけではありません。ホームランバッターだけで試合はできないのです。実際のところ、かっこいいアルゴリズムと、現実に役に立つアルゴリズムが同じであるとは限りません。

また、性格面でも、楽観的な人、心配性の人、攻めが強い人、守りに強い人など、いろいろな人がいたほうが、物事を多面的に見ることができます。それが議論を生み、新たな展開につながります。その意味では、能力面でも、性格面でもバランスのとれたチームづくりが重要です。

私はチームのメンバーを、社員なのか、外注先から来てくれた人なのかで区別しません。ひとたびメンバーになれば、全員が同じ仲間です。もちろん、組織上の責任についてははっきりとした線引きをすべきですが、研究や問題解決について上司も部下もなく、さらには内部も外注もなく、そこに立場上の優劣はありません。そもそもアイデアや意見はどこに潜んでいるかわかりません。人の数だけ可能性があります。所属の違いのような、研究開発上、本質的に無意味なことにこだわらず、どのメンバーも無限の可能性の塊だと考えれば、接し方もおのずと変わってくるのではないでしょうか。

個々のメンバーが多様であることは大切ですが、同時に、チームである以上、個々のメンバーが有機的に結びつき、相乗効果を発揮できる関係づくりも欠かせません。1人の研究者として優秀で、素晴らしいアルゴリズムをつくり出せるとしても、他のメンバーが担当しているアルゴリズムとの連携・接続も必要です。そのとき、研究者同士でうまくすり合わせができるかどうかが大事です。

それぞれ自分が一番だと主張して譲らなければ、「部分最適の群衆」ではあっても、「全体最適のチーム」とは呼べません。多様なメンバーであると同時に、全体最適も考えられるメンバーでなければならないのです。

――10年勝てるチームであれ

研究や課題解決の面ではチームのメンバーに優劣なし、みんなが同じ仲間だと言いましたが、組織上の責任者としてはリーダーの私が一番がんばらなければなりません。そうしなければチームメンバーが困ってしまいます。

本章の冒頭に書いたように、私は学生時代から山が好きで高校時代は山岳部、大学時代はワンダーフォーゲル部でリーダーとして活動してきました。そのような経歴のためか、人生でもおもしろそうな〝山〟を見つけてしまうと、どうしても挑みたくなります。会社に入って顔認証の世界に突然放り込まれて必死にもがいているうちに、認証精度を高めるという〝山〟を見つけてしまったのです。そのリーダーが率いるチームですから、リーダーにやる気がなければ、誰もついてきません。

もちろん、どんな山でもやみくもに挑むわけではなく、リーダーとして状況を見ながら、退くべきか、前に進むべきかを冷静に判断します。リーダーである以上、どのような状況であれ、仲間を死なすわけにはいかないからです。その判断力は山で教わったと思っています。

また、リーダーとしては、さまざまな強みを持つメンバーで構成されるチームを勝てる方向へと導く力も必要です。幸い、今私が率いている顔認証チームはそのようなメンバーが集まっているから、世界に勝てるのだと思います。

そして「10年勝てるチーム」という発想も大切にしています。戦いは1回で終わりではなく、その後も続くからです。

私が好きなゲームの1つに『ドラゴンクエスト（ドラクエ）』があります。実は最先端の研究開発はドラクエに似ています。次々に現れる敵を打ち破っていくのですが、敵には、序盤のボス、中盤のボス、終盤のボスがいて、いろいろな戦略で攻略していきます。

最初は1人で戦っているのですが、やがて仲間が増えていきます。その仲間が戦力になってくれるのです。仲間は違う武器や特技を持っているから助け合うことができがら〝ボス〟を倒していきます。仲間とともに、いろいろな武器や特技を駆使して、毎回戦い方を変えながらボスを倒していきます。

同じことばかりやっていても経験値は大きく増えませんが、ちょっと違うことをやると経験値が容易に高まっていき、戦いも有利に運べるようになります。少しずつ戦略を変えていくことが、ボスを倒す重要な鍵になるわけです。

研究開発も、技術的な課題が現れる度に攻略していきます。そうやって少しずつステージが上がっていく。これが研究開発の醍醐味です。攻略すべき課題は次々に現れます。倒さなければいけない〝ボス〟が次々に襲いかかっています。そのためには、いろいろな強みを持った仲間を増やし、毎回戦い方を変えながら経験を積み、チームとして常に進化を続けていきます。まさに私たち顔認証チームは、そのような戦い方を続けています。

4 企業という組織でどう生きるのか

――企業研究者は組織と無縁ではいられない

企業で働くビジネスパーソンは、社内の軋轢(あつれき)や説明責任と無縁ではいられません。その意味では、学術研究者のほうが自分の関心にとことん没頭できるかもしれません。企業研究者はあくまでも会社の方針の中で、いかに自分を輝かせるのかを考えることが重要です。とはいえ、会社に言われるまま主体性もなく、待ちの姿勢で仕事をしているだけでは輝くことなどできません。

研究者であっても企業という組織の一員であることに変わりはなく、組織の中で生きていくことを常に意識しなければなりません。組織という制約に縛られることは事実ですが、逆に考えれば、個人では到底用意できない組織というリソース(ヒト・モノ・カネ）を生かすチャンスも与えられているわけです。

私自身、時に組織内での立場や状況に苦悩しつつも、逆にそれらを追い風にしながらここまでやってきました。ここでは、そうした経験から学んだことをお伝えしたいと思います。

——最初は小さな仕事からコツコツ引き受ける

新人のときにどうやって仕事をもらっていくのか。これは誰しも新しい環境に置かれたときに悩むことではないでしょうか。特に未経験、あるいは経験の浅い段階では、仕事の全体像がわからず、何をすればいいのか、どうやって取り組むのかもわからず、右往左往するはずです。

ここで何よりも大切なことは、小さな仕事も笑顔でコツコツと引き受けることです。自分のやりたいこととは違う、納得のいかない仕事かもしれませんが、喜んで引き受けるのです。失敗もあるかもしれませんが、めげずに一つひとつの仕事を丁寧にこなしていくことで、徐々に大きな仕事が増えていくものです。

やがて仕事を次々に任されるようになり、これもコツコツと引き受け、しっかりと結果を出していけば、時には大きな仕事も任されるようになります。そうやってたくさんの依頼が来るようになれば、自分で仕事を選べるようになるのです。

「仕事を選ぶ」と言うと、何か偉そうに聞こえるかもしれませんが、そうではなく小さな仕事を丁寧にこなし、結果を積み上げてきたからこそ、自然にいろいろな選択肢を与えられるようになるのです。「案件Aも案件Bも以前うまくやってくれたね。今度A関連とB関連のプロジェクトが新たに始まるんだが、どちらかのリーダーをお願いできないか」といったふうに選択肢を与えられます。これが「自分の強みを生かせる仕事が選べるようになる」という意味です。そうやって得意なもの、好きなもので成果を出すことで、さらにその方向で仕事が次々に与えられるようになり、最終的に本当に大きな仕事を成し遂げるチャンスが舞い込むのです。

すべては、たとえ不本意でも小さな仕事をコツコツと成し遂げてきたことの延長線上にあるのです。

――過程は緩く、結果に厳しく

誰しも企業で働いていれば、いろいろな夢や目標を持っているでしょう。「偉くなりたい、昇進したい」と思う人もいるでしょう。私は、大企業というリソースをテコにして、「何を成し遂げたか」という価値観で活動してきました。

そのため、「結果に妥協しない」という考えを強く持っています。そのきっかけとなったのは、やはりＮＩＳＴベンチマークという世界的な勝負の場に会社の看板を背負って参加する以上、結果を出すことにこだわらざるを得なかったからでしょう。何しろ、成績がもれなく世界に公表されてしまうのです。そんな会社員は少ないと思います。自分の成績が上司、同僚はもちろん、世界中に発表されてしまうのです。だから、「まあいいか」と妥協できないのです。おそらくその癖がついてしまったようで、何ごとも結果に対しては妥協しなくなりました。

その代わりと言っては何ですが、そこに至る過程については柔軟に受け入れるようにしています。たとえば、チームの打ち合わせで自分の論理を無理やり押し通すことは、過程にこだわることです。その場で勝った気になっても、その後にメンバーが嫌気がさして協力してくれなくなったら、思うような結果に到達できない可能性があります。つまり、過程で妥協しなかったために、結果に対しては妥協せざるを得ないことになります。

あるいは、何かに取り組むうえで、現在のやり方に上司が反対しているケースも、意地でもその上司を説得して現在のやり方にこだわるべきでしょうか。もしかしたら上司が薦める別の方法にもトライして、できるだけ柔軟に対応したほうが最終的に納得できる結果に到達しやすいこともあります。

ベンチマークで言えば、結果的に2位で終わってしまうかもしれません。それでは本末転倒です。だから1位になることを最も重要と考えているのなら、過程は譲ってもいいから、結果で1位を取るという発想になります。

数学の問題も同じです。何らかの結果を得たいときに、途中のプロセスはなるべく柔軟に考えて、論理的にさまざまなアプローチで挑みます。もちろん自分の知っているアプローチから試していきますが、自分のやり方にこだわりすぎると、途中で挫折する場合も少なくありません。私の趣味である山も同じです。どのような登り口から登るのか。一番簡単に登れそうなルートはどこか。一見すると回り道でも、最終的に早く登れることもあります。

会社人生も同じで、本当に得たいのは結果であり、途中のプロセスではありません。上司も完璧な人ではないはずで、一時的には反対しても、最終的に納得してくれるかもしれません。会社も最終的には、ビジネスが拡大するとか、技術競争に勝つといった結果を重視します。

なお、「結果を出すために過程にはこだわらない」と言いましたが、こだわらないからといって、何も考えていないわけではありません。いろいろな過程を試しているうちに、時折きらりと光る何かに気づくことがあります。それが最終的な成果につながるわずかな糸口になることもあります。

厳しい岩場を登るクライミングで言えば、なかなか次の手をかける岩が見つからず苦労しているときに、ふと指一本かかる部分があると気づく瞬間があります。この瞬間には鋭く反応しなければなりません。1つのルートに必要以上にこだわらず、間口を広くとって、いろいろなルートを試しているからこそ、このような奇跡的な取っ掛かりに気づくことができるのです。この指一本の取っ掛かりを見つけ出して、仲間にすうえで大切な資質と言えます。

「ここから行けそうだ」と示すことが重要です。こうした柔軟性は、組織の力を生か

――ギブ・アンド・テイクの精神

前に述べたように、大切なのは結果です。結果を出すうえで「前例がないから」とか「こういう慣例になっている」といった壁にぶつかり、うまく前に進めないことがあります。前例がないなら、自分が前例になればいいだけのことです。何も法律を犯すといったことではないのですから。

たとえば、何かの処理を他部署に依頼して「3週間かかる」と言われたとします。しかし、それでは間に合わず結果が出せない場合、どうすればいいのか。「今まで3週間かかっていたのだから3週間必要」というのは実は思い込みにすぎず、ちょっとした工夫で短縮できるかもしれません。

それに、「2週間でなんとかなりませんか」と相談してみるのはタダです。相談もせずにあきらめる必要はありません。

大きな組織にいると、何かことを起こすには承認を取る必要があります。課長の承認をもらって、次は部長にも承認をもらって……という具合に10手ぐらい踏むのが当たり前とされています。詰め将棋風に言えば、10手詰めです。しかし、実は直接誰かに直談判したら3手詰めで済むかもしれません。

企業の中にある「ルール」なるものの中には、特に根拠もないままそう決まっているものが意外に多くあります。ならば、ダメ元でトライしてみる価値があります。

「3週間ならできるが、2週間は無理」と言われたら、なぜ3週間かかるのか聞いてみるのです。3週間ならよくて、2週間がダメということは、それなりに理由があるはずです。そこを無視して無理に押しつけることはできません。そこは尊重すべきです。しかし、その理由をしっかり聞き出し、「なるほど、ではこの部分は自分が引き受けますから、その分、早くできませんか」と交換条件を申し出ることはできます。

こちらが急いでいて、助けてほしいと思うのであれば、相手に対しても手伝う姿勢を見せなければなりません。そうすれば、それを意気に感じて引き受けてくれる可能性も高まります。

他部署への依頼ごとに限らず、自分のチーム内でも同じです。いくら自分が急いでいても、それは自分の都合です。自分のチームのメンバーであっても、相手の納得が必要であれば、深く理解してくれるまで待つ姿勢も大切です。納得して参加してくれるのと、半信半疑で参加してくれるのとでは、モチベーションも違ってきます。さらには、結果にも影響が及びかねないからです。

――プロフェッショナル意識が信頼を生む

私は若いころ、プロフェッショナルとして自分がやるべきことは、顔認証の精度を上げることだと考えていました。世界一を取れば研究者として立派なプロフェッショナルではないかと思っていました。しかし、企業研究者としては、これだけでは失格なのです。開発した技術が社会に普及し、実際に使われるように努力して、初めてプロフェッショナルと言えるのではないかと考えるようになりました。

2010年NISTベンチマークで世界トップを獲得したとき、マスコミの取材が殺到しました。そのとき、私は認証精度の話は詳しくできましたが、それ以外の話題にはまったく対応できませんでした。実際、「顔認証は虹彩認証と比べてどうなのか」

とか、「社会的な問題はないのか」などと、技術以外のことも次々に質問されました。「顔認証の研究者なのだから、社会のことまで聞かないでくれよ」と思ったこともありましたが、それではプロフェッショナルとは言えません。いい加減な対応をしていれば、顔認証に対する信頼も失ってしまいます。そこまでしっかり対応できて顔認証のプロフェッショナルなのだと痛感しました。そこから一生懸命、技術以外のことも勉強するようになりました。

ありがたいことに、そうやって幅を広げるようになってから、信頼されるようになったと実感します。人々は顔認証の精度や速度だけを気にしているわけではなく、さまざまな生体認証のさまざまな未来とか、もっと広く技術が社会にどういう影響をもたらすのかなど、聞きたいことはたくさんあるはずです。そのような状況で、「顔認証の精度だけ上げている人」に、話を聞きたいとは思わないはずです。幅広い視野を持って真剣に語り、マスコミや社会から信頼を勝ち得るからこそ、顔認証の精度の話にも耳を傾けてもらえるのです。

そうやって信頼を得ることで、仲間がさらに増えていい結果につながります。すると、私が常に大事にしている「結果に妥協しない」という究極の目標につながっていくのです。

NISTベンチマークへの挑戦は、私が企業という組織の中で飛躍する大きなきっかけになりました。このように本当に重要なチャレンジと言える瞬間は、会社人生でせいぜい数回程度です。それを見逃さないように飛びつく思いきりが大事だと思います。飛びつくべきかどうかの見極めは、自分の能力との相談もあって、もちろん簡単ではありません。

実は、2009年にNISTベンチマークに初挑戦する前に、2006年にもベンチマークがあり、私は参加するかどうか迷いました。成功すれば大きな成果になります。しかし、このときは自分の能力が足りないという判断を下し、チャレンジを見送りました。チャレンジの重要性と自分の能力や自分が置かれた環境とのバランスを考え、2009年の段階で新たな機会が巡ってきたとき、今ならいけるだろうと思い、満を持してチャレンジしました。

たとえば、海外赴任というチャンスが目の前に現れたものの、自分は英語が苦手だというときにどう判断するか。チャレンジしてみようと思う人もいるし、別のチャンスが回ってくる日を待つという判断もあるでしょう。そのためには、自分の能力を冷静に見極める目を持っていなければなりません。

２０１５年、私はもう1つのチャレンジに乗り出しました。「顔認証技術開発センター」という新しい部署の設立です。顔認証は研究にとどまらず、世界ナンバーワンの事業を目指すべきと考えたからです。

となると、１０００億円くらいの事業に育て上げる必要があります。当然、研究所という枠組みではなく、事業に責任を持つ事業部を中心にした組織にしなければなりません。また、活動のターゲットも世界を視野に入れなければなりません。こうした取り組みも、結果を出すための仕掛けづくりです。研究という面でＮＩＳＴベンチマークで成果を上げることも重要ですが、その一方で事業として広げていく活動も、結果を追求するうえで欠かせないからです。

当然、責任が伴います。１０００億円という数字を考えた以上、そこに少しでも近づけていく責任です。自分を追い込むことになります。山を登ると決めたら山を登るしかありません。しかし、大きな山だからこそ、組織も本気でサポートしてくれます。このように自分から仕事をつくり出していく姿勢がプロフェッショナルには必要なのです。

第4章

顔認証技術で変わる世界

1 各地での社会実装事例の紹介

第3章で説明したように、私たちはNISTのコンテストで世界ナンバー1を連続で獲得するなど、圧倒的に優れた顔認証技術の開発を進めてきました。ナンバー1であること自体はうれしいですが、先にも書いたとおり、開発者として「その技術を社会にどう還元するのか」「世の中にどのような進歩・変革をもたらすのか」についてのビジョンを描くことができないのであれば、意味はあまりありません。

顔認証のベースとなる技術は、顔認識です。まずは顔を認識して、そこから見つけ出した特徴をもとに、本人かどうかを確認することに応用すれば、それは顔認証です。本書のテーマでもある顔認証は顔認識の最も大きな応用例です。もちろん顔を認識したうえで、他の用途にも応用できるため、この技術はまだまだ広がっていくと考えられます（図表4－1）。

ここでは、私たちの顔認証技術が実際に社会のどのような場面で使われているのか

図表4-1

顔認証の応用例

本人確認に

さまざまな場所での本人確認に適用可能です。

■ **遊園地・テーマパーク・イベント会場で**
- 来場者の本人確認

■ **ホテルの受付・窓口業務**
- お客様チェックイン時の本人確認

■ **塾・学校で**
- 学生、生徒の本人確認
- なりすまし受験対策

入退管理に

さまざまな場所での入退管理に適用可能です。

■ **工場・工事現場で**
- 従業員の入退管理

■ **オフィス・セキュリティゾーンで**
- セキュリティゾーンの入退管理
- ゲート管理

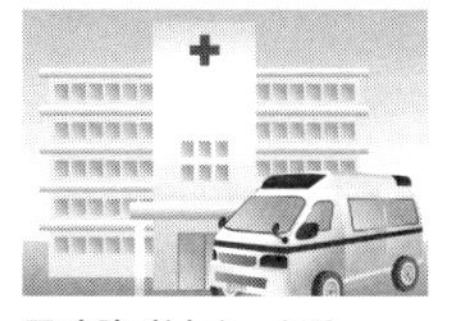

■ **病院・老人ホームで**
- 徘徊高齢者の安全確保

おもてなしに

さまざまな場所でのおもてなしに適用可能です。

■ **商業施設で**
- 迷子探し
- VI P検知、おもてなし
- 動線分析、無人店舗

■ **空港で**
- チェックイン
- 感染症対策

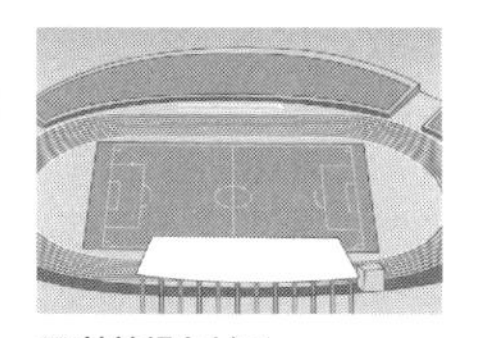

■ **競技場などで**
- 迷惑行為の抑止、事前/事後対策

について紹介します。それがヒントになって、また社会における新たな用途や可能性が見えてくるかもしれません。

――事例1　南紀白浜を〝顔認証〟で観光

白砂のビーチが三日月のように美しい弧を描く白良浜（しららはま）や日本三古湯に数えられる白浜温泉などで知られる和歌山県・南紀白浜。

その玄関口となる南紀白浜空港に到着すると、まるでＶＩＰを待ち構えていたかのように、手荷物受取所に設置されたディスプレイに、「○○さんのお荷物は、あと○分で到着します」と名前と待ち時間が表示されます。到着ロビーに出てくると、さらに「○○さん、ようこそ」とウェルカムメッセージで歓迎されます。気持ちよく空港を後にして、パンダでお馴染みの人気テーマパーク、アドベンチャーワールドへ。行列に並ぶことなく、顔認証で入園します。たっぷり遊んでホテルに到着。ここでも自分の名前を告げなくても、顔認証でフロントがゲストを認識してＶＩＰ待遇でおもてなし、チェックイン手続きを実施。指定された部屋に直行すると、ドアの前でカメラに顔を向ければ、ロックが開錠されて入室ができます。同行者もそれぞれ登録されますので、ルームキーを持たずに、手ぶらで温泉や足湯を楽しめます。

翌日は白砂がまぶしいビーチで海水浴。財布もスマホも持たずに手ぶらで出かけます。家族の誰かが貴重品の見張りをする必要もないので、みんなで水遊びに興じます。そろそろお腹も空いてきたので、レストランへ。そういえば、今日は財布をホテルに置いてきましたが、心配無用。会計ももちろん顔認証でOK。旅の思い出のおみやげも支払いはやはり顔認証……。

以上は未来の時代のひとコマではなく、2019年からNECと南紀白浜エアポートが中心となって実際に行われている「IoTおもてなしサービス実証」というサービス実験です。顔認証技術を駆使して多彩なサービスが展開されています（※社会情勢、時期などにより、一部実施していないサービスがある場合もあります）。

旅に出発する前に、あらかじめ顔写真やクレジットカードを登録しておくだけで、あとは現地の実験参加施設のカメラに顔を見せるだけで、誰かが特定され、支払いが必要な場面では、登録したクレジットカードで決済されます。たとえ荷物で両手がふさがっていても、赤ちゃんを抱いていて手が使えなくても、あるいは財布もスマホも持っていない手ぶらでも、「顔」という鍵を持ち歩いているからこそ実現できる環境です。

南紀白浜で顔認証を体験すると、「顔」という鍵の強さを実感することができます。自分の顔ですからどこかに置き忘れたり、紛失したりすることもありません。海に飛び込んでもびしょ濡れになっても気にする必要はありません。温泉の脱衣所にロッカーがないこともありますが、貴重品の心配も無用です。手ぶら、顔認証の利便性を存分に体感できるのではないでしょうか。

そしてコロナ禍、さらにはアフターコロナの時代に重視される非接触も実現するため、安心感も高まります。日本国内からの訪問者に対する利便性はもちろんのこと、言葉が通じにくい海外からの訪問者に対しても顔認証でさまざまなサービスを提供することができます。

この南紀白浜のプロジェクトはまだ実験段階であり、対象でない施設や店舗もありますが、特定の施設の内部にとどまらず、街（そして海辺まで）という広い空間で連続的に顔認証を利用できる事例として、未来を予感させます。さらに、南紀白浜にと

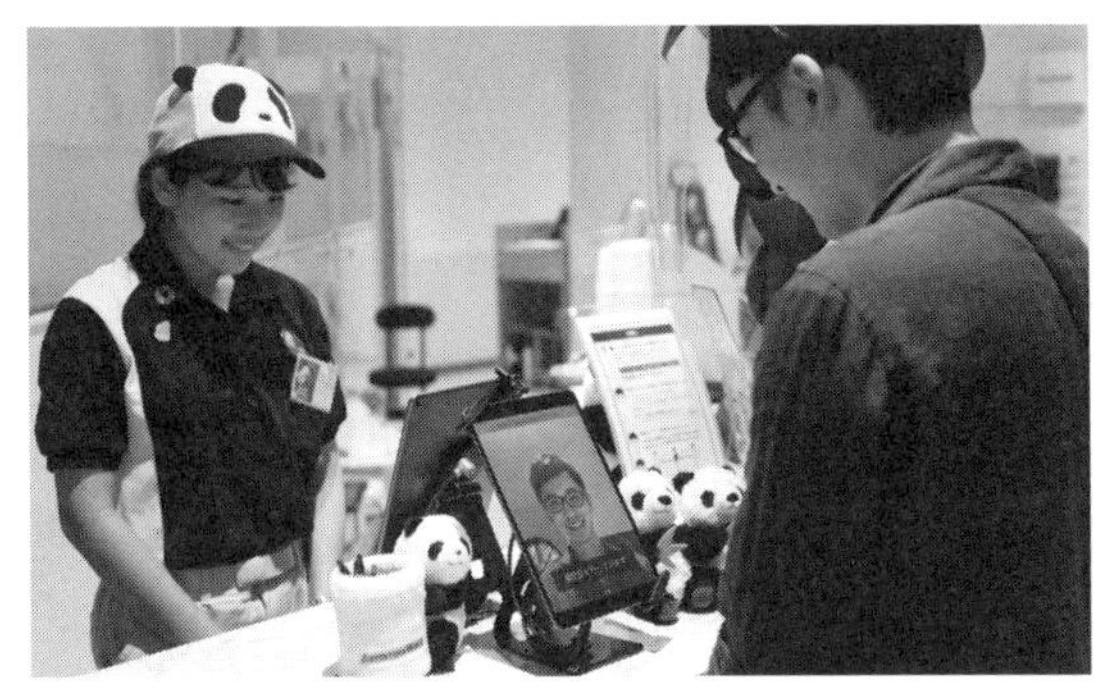

アドベンチャーワールドの認証システムの顔決済の様子

南紀白浜におけるIoTおもてなしサービス実証の概要

その1 ウェルカムサービス
あなたの「顔」が利きます

その2 手ぶら決済
¥500
買い物に財布もスマホもいりません

その3 キーレスドア解錠
鍵をなくす心配がありません

その4 笑顔写真撮影
77
楽しい思い出を笑顔と共に

その5 手荷物待ち時間
須藤 太郎
JAL515
5分
手荷物到着時間がわかります

その6 混雑度表示
PANDA LOVE
3密を回避した安心安全な旅を

どまらず、国内外のさまざまな観光地で同じような技術を展開することで、全世界を「顔でつなぐ」サービスが実現できる可能性を秘めています。

この南紀白浜のプロジェクトは、海外からの旅行需要が回復した際のインバウンドの観光客にも喜んでもらえるはずです。また、コロナ禍によるリモートワークの普及を受け、ワーケーションの取り込みも想定しています。

――事例2 煩雑だった空港での搭乗手続きが手ぶらでスムーズに

海外旅行に行く場合、空港では飛行機に搭乗するまでにさまざまな手続きがあります。まず航空会社のカウンターでチェックインして搭乗券を受け取り、スーツケースなどの荷物を預けます。ここでパスポートのチェックや本人確認があります。続いて、機内への持ち込み禁止品などを持っていないかどうかを調べる保安検査場に向かいます。ここでも検査場入り口で搭乗券とパスポートのチェックがあります。その後、出国審査があります。搭乗券とパスポートを審査官に提示します。出国審査が終わったら、指定された搭乗口に向かいます。搭乗口でもそのまま飛行機に乗ることはできません。航空会社のスタッフが1人ずつ搭乗券とパスポートをチェックし、ようやく機内に入ることになります。

搭乗券やパスポートを出したりしまったりしながら、何度も本人かどうかの確認が続くのは、セキュリティのためとはいえ、実に煩雑なものです。しかし、この空港の常識が大きく変わろうとしています。

この度、成田空港に顔認証技術を活用した新しい搭乗手続き「Face Express」が導入され、旅行客の手続きが次のように変わります。

①自動チェックイン機

空港に到着後、利用する航空会社のカウンターに向かいますが、そこに用意されている自動チェックイン機を利用します。この端末はセルフでチェックインをします。チェックインとは、実際に飛行機に搭乗する意思を表示し、座席を確定して搭乗券と手荷物タグ（預ける荷物につけるバーコード付きの荷札）を入手する手続きです。端末を操作するとパスポートの読み取りの後、顔が撮影されます。撮影した顔とパスポートの写真が照合され、本人であることが確認されます。搭乗便名を入力し、預ける荷物の個数を登録すると、搭乗券と預ける荷物に取りつける手荷物タグがプリントされます。この時点で、利用者の顔とパスポート、搭乗券の情報がシステムに登録され、この後の手続きに引き継がれることになります

②自動手荷物預け機

続いて手荷物を預けます。写真のような自動手荷物預け機に移動します。「またパスポートと搭乗券を読ませればいいのか」と思うかもしれませんが、その必要はありません。先ほどのチェックインで顔とパスポート、搭乗券の情報は紐づけられていますから、ここでは顔を見せる

①自動チェックイン機

成田空港での顔認証技術を活用した搭乗手続き「Face Express」

だけです。これで顔認証が完了し、コンベア上に荷物を置けば、荷物は自動的に流れていき、預けのレシートを受け取って、手続き完了です。

③保安検査場入場ゲート

続いて保安検査場に向かいます。右下の写真③のようなゲートがあります。カメラに顔を向けるだけの顔認証で保安検査場に入ることができます。

④セルフ搭乗ゲート

この後、出国審査を経て、搭乗口へ向かいます。いよいよ飛行機に乗り込む直前の搭乗ゲート。ここも改札のようなセルフ搭乗ゲートがあるので、顔を見せるだけです。あとは機内に入って着席し、離陸を待つだけ。こんなふうに最初のチェックイン時に顔を登録するだけで、その後の手続きは顔認証で次々に通過できるのです。もうお気づきのように、係員の手を介さずに一連の搭乗手続きを完了できることは、非接触や対人距離の確保など、アフターコロナの新しい生活様式にもマッチしています。

——事例3　オリンピック史上初、全会場で選手らの入場に顔認証活用

２０２１年夏、コロナ禍による1年の延期の末に東京２０２０オリンピック・パラリンピック競技大会（東京２０２０大会）が開催されました。

オリンピック・パラリンピックでは、選手・関係者はアクレディテーションカード（資格認定証）というＩＤカードをいつも携行しています。過去の大会では、入場ゲートで警備員にＩＤカードを見せ、警備員がＩＤカードの写真を頼りに、目視で1人ずつの本人確認をしていました。

しかし、東京２０２０大会は、さまざまな競技会場を1カ所に集めたオリンピックパーク方式ではなく、各地に競技会場を分散させる方式を採用したため、会場ごとに選手・関係者の入場時にセキュリティチェックが必要となります。猛暑の中、選手らを入り口で長時間待たせることなく、スムーズに、しかも厳格に入場させることが大きな課題でした。

従来のように警備員による目視の確認では、この課題を克服するのは難しいと見ら

れていました。たとえば、私たち日本人にとってアジア人の本人確認はやりやすいかもしれませんが、欧米やアフリカの人たちの違いには慣れていない場合もあるため判断が難しくなりがちです。同様に欧米人から見たら、アジア人の違いはわかりにくいはずです。「IDカードの写真と少し違うような気もするが、でも本人だろうな」と一瞬考え込む場面もありえます。その度にいちいち声をかけて話を聞いていては、ゲートが大渋滞になってしまいます。

そして行き着いたのが、NECの顔認証技術による本人確認でした。顔認証がオリンピックに活用されたのは、史上初です。すでに人間を超える認証精度を実現している顔認証技術であれば、高速かつ的確に判定します。ごく例外的なケースのみ警備員が声をかければ済みます。

実はオリンピックへの顔認証活用は、最初からうまくいったわけではありません。どの世界でもそうですが、これまでうまくいっていた仕組みを変えて、新しい仕組みを活用してもらうのは容易ではありません。NECが活用を働きかけはじめた2015年当時、顔認証技術に対する世の中の認知度はまだ低く、活用を提案するだけでも相当苦労しました。

そこでＮＥＣは、「顔認証が使われて当たり前と思われるくらいの世論・風潮を生み出すのが先」と考えました。それから機会を見つけては、ラグビーワールドカップ、オリンピック・パラリンピックのリオデジャネイロ大会のジャパンハウスなどのイベントに顔認証を納入するなど、地道に実績を重ねてきました。その甲斐あって、２０１６年オリンピック・パラリンピックのブラジル・リオデジャネイロ大会では、日本選手の記者会見に使われる施設で、報道関係者の顔認証システムとしても使われました。

こうした大会での入場で顔認証技術を活用する場合、重要なのは認証の精度だけではありません。ゲートを通るのは、身長２メートルを超える大柄な選手もいれば、車椅子の選手もいます。選手ごとにいちいちカメラの向きや高さを調整している時間はありません。ゲートで滞留することなく、まるで駅の自動改札のようにすいすいと通り、それでいて資格外の人は確実に阻止しなければなりません。

この一連の流れの中で、選手１人の顔認証に割ける時間はわずかなものです。そうなると、入場者の動線はどうするか、何メートル先から顔を撮影するのか、ＩＤカードのタッチの位置はどの辺がいいのか、車椅子でもスムーズに近づき、苦労せず通り抜けられるのか……。そういう全体的な視点から、何度も実験を重ねて最適なフローをつくっていきました。

実際の現場では、単に認証精度だけでなく、そのような総合的な処理量を上げることが極めて重要です。もちろん処理人数だけを増やしたいのなら、精度を甘くすればいいのですが、その結果、誰でも通してしまってはゲートにならず、本末転倒です。そこで精度と速度のせめぎ合いになります。厳密さと迅速さが同時に求められるシステムなのです。

ゲートでの立ち位置を示すマットまで製作し、その置き方ひとつまで、さまざまなパターンをテストしてノウハウを積

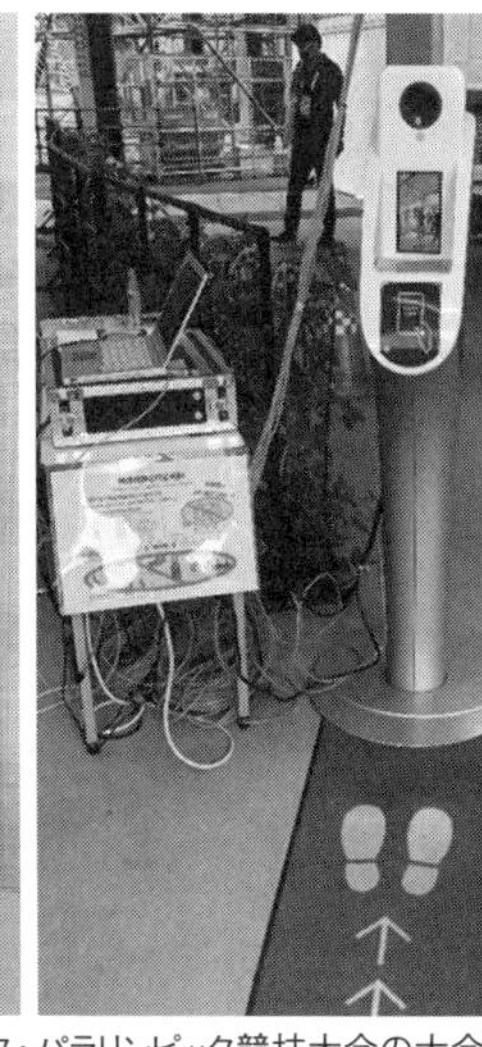
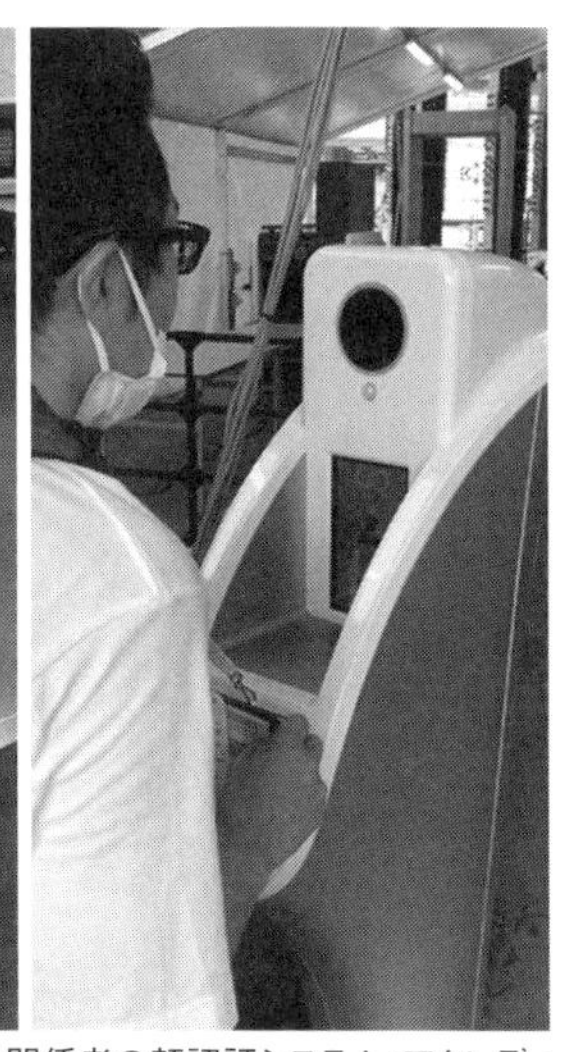

東京 2020 オリンピック・パラリンピック競技大会の大会関係者の顔認証システム：アクレディテーションカード（左）、顔認証ゲート（中）、入場の様子（右）

み上げていきました。ゲートは、屋根の下とはいえ屋外ですから1日を通じて逆光にならないように向きも考慮しました。人種、性別、年齢、照明条件、屋外での利用など、さまざまな条件を考えなければなりませんし、スマホを見ながらうつむき加減で入ってくる人など、みんな思い思いにゲートに向かってきますから、そういうあらゆるパターンを想定してシステムをつくらなければなりません。

新しい技術を社会に導入することは、まさにこのような全体的な運用にまで目配りしなければ実現できないことを改めて実感しました。

こうやっていろいろなノウハウを積み重ねていった結果、目視と比べて、顔認証技術を組み合わせたシステムのほうが3割程度の所要時間を短縮できることがわかりました。

また、実際のゲートを担当する警備員の方からは、「かつては海外の要人が来たときに本人と違う気がしてもなかなか指摘することは難しかったが、今は顔認証のおかげでスムーズに確認できるようになった」との声も届いています。

――事例4　コロナ感染対策

新型コロナウイルス感染症の拡大を受け、世界中の観光産業は大きな打撃を受けており、観光地として人気のハワイも例外ではありません。実際、ハワイへの渡航者数は大幅に落ち込み、地域経済に深刻な影響を与えています。

そこでハワイ州交通局では、感染拡大を抑える一方で観光を軸とした経済の復興を図るため、アメリカ本土や日本など海外からの渡航者が主に利用するダニエル・K・イノウエ国際空港（オアフ島）、カフルイ空港（マウイ島）、リフエ空港（カウアイ島）、エリソン・オニヅカ・コナ国際空港（ハワイ島）、ヒロ国際空港（ハワイ島）の5空港を対象に、顔認証技術を駆使した感染症水際対策を導入しています。

この水際対策は、生体認証・映像分析技術とサーマルカメラを組み合わせたもので、空港内の人々の中から、体表温度（設定は38度）が設定温度以上の人を見つけ出すことができます。２０２０年8月から、ハワイに到着した渡航者全員に対し、その場で自動的にスクリーニングし、体表温度を測定することを始めました。渡航者は立ち止まることなく、歩きながらのウォークスルーで測定が可能です。38度以上と測定された人は、新型コロナウイルスの検査を受けるように勧められ、もし症状が認められれば、最寄りの病院に搬送されます。

空港内に設置されたサーマルカメラで行き交う人々の体表温度を計測してサーモグラフィーとして可視化し、設定以上の体表温度が検知されると管理者に通知します。さらに、私たちが開発した顔認証技術と映像分析技術を駆使して対象人物を特定し、迅速に安全な措置を講じます。

この対策では、高熱の人物を的確に特

ハワイのダニエル・K・イノウエ国際空港のコロナ感染対策ソリューションのイメージ

定する一方、空港利用客のプライバシー保護にも配慮する必要があります。そこで私たちは、ハワイ州交通局と連携してハワイ州のプライバシー保護要件に準拠しています。また、人物の特定に当たっては、所定の体表温度以上の人物の画像のみを保存し、それ以外の画像は保存されません。また、高温該当者が検出された場合、空港職員が健康上の注意喚起や検査が必要かどうかを判断する目的のみに画像が使われます。その場合でも画像は30分以内に消去され、外部の機関に共有されることはありません。また、対象者の氏名、住所、運転免許証番号などの個人情報を取得したり使用したりすることはなく、個人を特定せずに、感染の可能性がある対象者を発見します。

今後、ショッピングセンターや観光地などオフエアポートにおける展開を目指し、ハワイにおける安全安心な観光とビジネス回復に貢献していきます。

——事例5　マスク着用状況の調査

2020年10月、横浜スタジアムで開催されたプロ野球公式戦で、十分な感染症対策を講じたうえで、収容人数80％を目安に観客を入れて試合が開催されました。その際、感染症対策の一環として、観客席のマスク装着状況を判定するためにＮＥＣの顔認証技術が利用されました。

世界的な感染拡大が本格化しはじめた同年の春から夏にかけて、私たちがマスク着用の顔認証技術の開発に全力を挙げていたことは、第３章でも紹介しました。さまざまなマスクを的確に検出できるようになった結果、その新たな応用例として、観客席の群衆の中に、マスクを着用した人々がどのくらいいるのか、あるいはマスクを着用していない人がどこにいるのかを特定できるようになったのです。

この取り組みは、コロナ禍における大規模イベントの開催ガイドライン策定に寄与しました。

――事例６　ユニバーサル・スタジオ・ジャパン

入場ゲートのカメラを覗き込むだけで、感動あふれるテーマパーク体験が始まる。そんな近未来感あふれる入場ゲートがあるのは、ユニバーサル・スタジオ・ジャパン（大阪）です。ユニバーサル・スタジオ・ジャパンでは、２００７年から年間パス利用者専用のゲートに顔認証システムを採用しており、その目新しさも手伝って、入場時からワクワク感を体験できるなど、利用者の間でも好評を得ています。顔認証システムが集客施設のゲートに採用されたのは、国内ではユニバーサル・スタジオ・ジャパンが第1号となりました。

入場ゲートを利用するには、年間パスと所有者の顔を紐づける事前登録が必要です。年間パス購入後に入場ゲートで顔をモニターに向ければ、初回に利用者の顔と年間パスが紐づけられて登録が完了します。2回目も同様にゲートでモニターに顔を向ければ、初回に登録された顔データと照合されて、スムーズに入場

ユニバーサル・スタジオ・ジャパンでの顔認証による入場
NECは、ユニバーサル・スタジオ・ジャパンのオフィシャル・マーケティング・パートナーです

できる仕組みです。

従来の係員によるチェックよりも格段に高速で正確な確認が可能なため、混雑時の待ち時間の短縮や係員配置にともなうコストの削減といった効果があります。また、新型コロナウイルス感染拡大予防対策として、待ち列の密の回避にも寄与します。

利用者にとっても、顔をモニターに向けるだけで入場できるとあって、年間パス利用者ならではの特別感が演出されます。

ユニバーサル・スタジオ・ジャパンがこの顔認証ゲートを導入した2007年当時は、いちいち機器に触る必要がなく、小さな子供から高齢者まで誰でも特別な操作なしに手軽に利用できるというメリットが評価されました。今後、コロナ禍、ウィズコロナの時代には、さらにこの利点が最大限に生かされることが予想されます。

――〝顔認証システム〟の活用が、チケット転売を防止

人気アイドルやアーティストのコンサートともなると、チケットがなかなかとれないと言われます。それでも何とかしてチケットを手に入れたいというファン心理につ

けこみ、インターネットなどでチケットが高額で転売されるケースがあとを絶ちません。

こうした転売チケット対策として、主催者側もさまざまな手を打って、チケットの本人確認を実施してきました。一般的なのは、チケットに記載されている購入者の氏名が、実際に来場した人の免許証などの顔写真付き身分証明書と合致するかどうかをスタッフが確認する方法です。

ただ、この確認作業には時間がかかるため、入り口で長蛇の列がなかなか解消せず、コンサートの開演時間にまで影響が及ぶこともあります。おそらく多くの

有名アーティストのコンサートでの顔認証による入場シーン

来場者は正規チケットを買っているでしょうし、こうした人々まで痛くもない腹を探られるわけですから、楽しいコンサートのはずが、始まる前から不満が渦巻くことにもなります。

そこで白羽の矢が立ったのが、顔認証システムです。2014年、世界で初めて、人気アーティストのコンサートの入場ゲートに顔認証システムが導入されたのです。これまでに100万人以上の観客が顔認証システムで入場しているそうです。

従来のスタッフ目視による本人確認と比べて2倍以上のスピードで入場が可能になります。しかも、身分証明書の写真と来場者の顔を見比べてもスタッフの目には本人かどうか確信が持てないようなケースでも、顔認証なら的確に判断できるとあって、転売チケットの利用に大きくブレーキがかかるようになりました。買い手が減れば、転売行為も減少します。結果的に、ファンと転売業者がチケットを争奪し合うような状況も少なくなります。ファンにとっては、本来の価格でチケットが買える機会が増え、入場もスムーズになるため、いいことずくめなのです。顔認証とチケット発券システムの組み合わせは、私たちが日常生活で直接実感できるメリットを生み出している好例と言えます。

2
鍵は1つより2つのほうが安心
〜マルチモーダルという考え方〜

本人確認の方法として、身分証明書などの物を使う所有物認証、暗証番号などの情報・知識を使う知識認証、そして指紋や顔など体の一部を使う生体認証があることは、第1章ですでに紹介しました。そして本書では、さまざまな生体認証のうち、とくに顔認証に光を当てて説明してきました。

これからも顔認証は進化を続けていくでしょう。そして、さらに「顔認証と虹彩認証を併用する」というふうに、複数の生体認証を組み合わせる方法も新しい可能性や価値を生み出しつつあります。

――生体認証の種類

そもそも生体認証にはどのようなものがあるのでしょうか。顔認証以外の生体認証

図表4-2
指紋認証の概要

採取された指紋画像の例（左画像）、マニューシャと呼ばれる指紋の特徴点（中図）、マニューシャ・リレーション方式の概要（右図）

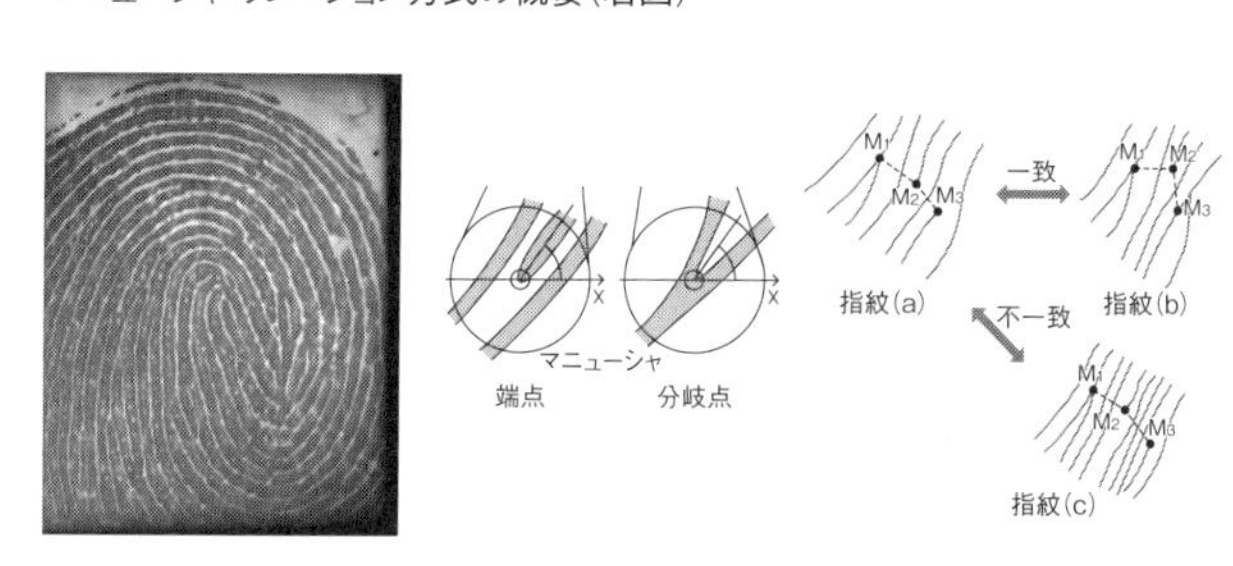

について、代表的なものをここで改めて紹介します。

① 指紋認証（図表4-2）

指紋・掌紋認証は最もよく知られた認証方法で、長い歴史があります。指紋・掌紋は人間が生まれたときから変わることのない特徴を持つことから、犯罪捜査や出入国管理、国民ＩＤなどのように厳格な個人識別が求められる場面に採用されています。

指紋認証の代表的な手法は、マニューシャ・リレーション方式です。マニューシャとは、指紋の流線における端点や分岐点のような特徴的な点のことです。マ

図表4-3
指静脈認証の概要

指静脈画像の例（左画像）、指静脈と指紋のハイブリッド認証装置（右画像）

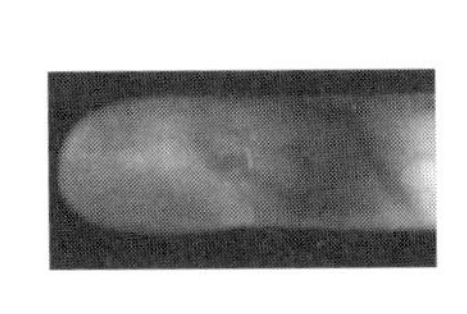

ニューシャ・リレーション方式では、マニューシャ間の流線数の一致度により、指紋の一致度を判定します。この方式は非常に高い認証精度であることが知られています。最近は、顔認証のように、深層学習により指紋の特徴を学習する方式も知られています。

②指静脈認証（図表4－3）

指の内部を流れる静脈血管を検出して、血管画像の特徴によって個人を識別する技術です。血管画像の撮影には、主成分であるヘモグロビンの吸収があり、生体組織を通過しやすい波長850ナノメートル付近の近赤外光を利用します。

図表4-4

虹彩認証の概要

虹彩画像から特徴量を抽出する方法。

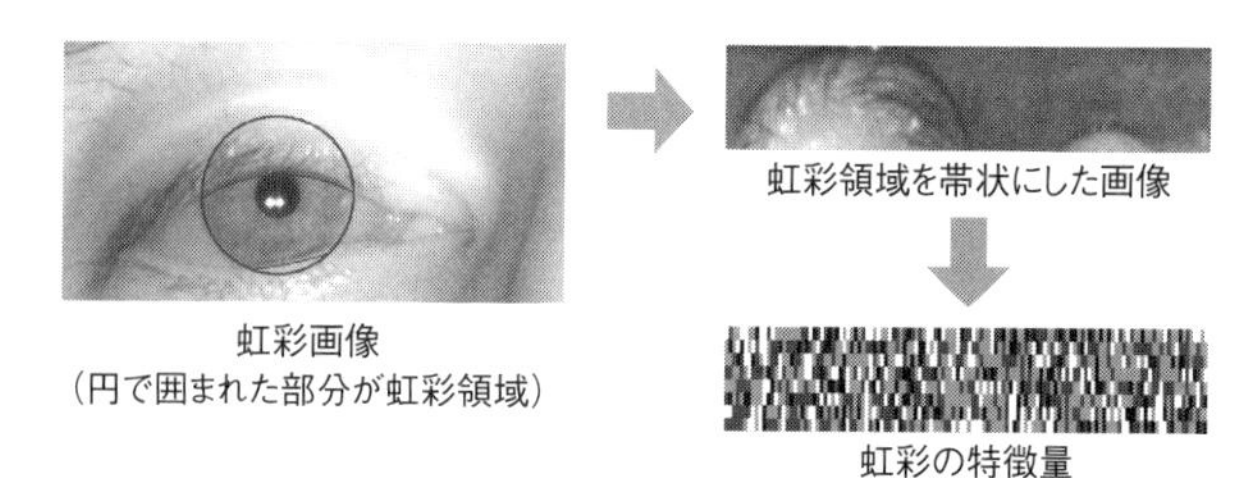

血管は外部から見えないため偽造されるリスクが低く、また非接触の認証が可能なため、生体情報が装置表面に残らないというメリットがあります。指静脈の撮影には専用装置が必要となりますが、装置は小型で、持ち運びも容易です。

③ 虹彩認証（図表4－4）

虹彩とは、目の中心にある瞳孔（いわゆる「黒目」）を取り囲むドーナツ状の部分を指します。この虹彩をよく見ると複雑な模様があります。このドーナツ状の虹彩をまっすぐ帯状にして、白黒の2値で表したのが、上の図です。そしてこの模様が1人ずつ違うことから、この虹彩パターンを指紋のように利用して個人を識別する技術を虹彩認証と言います。

虹彩は生涯不変と言われています。また、右目と左目でそれぞれ虹彩パターンが異なるため、ますます本人を確認しやすいと言えます。右目だけ、あるいは左目だけでも本人を確認できます。双子の場合でも虹彩は異なるので、識別が可能です。

目以外が隠れていても本人を特定できるうえ、暗闇でも赤外照明があれば、赤外線カメラで虹彩パターンを取得して本人かどうか特定できるという強みがあります。顔認証同様に、装置など触れる必要がなく、衛生的に利用できるメリットもあります。

④ **声認証**（図表4－5）

マイクを用いて声を拾い、その特徴を分析して人物を識別する技術です。音声を媒介として遠隔から認証できるため、スマートスピーカーやコールセンターでの活用が期待されています。声を出すだけという手軽で簡単な照合操作が可能です。また言語に依存しないため、グローバルに活用することができます。

声認証にも深層学習は使われています。音声情報から、深層学習により個人の特徴を抽出して、照合するといった顔認証と似た方式が使われています。ただし、本人確

図表4-5
声認証技術の概要

マイクを用いて声を拾い、その特徴を分析して人物を識別する技術

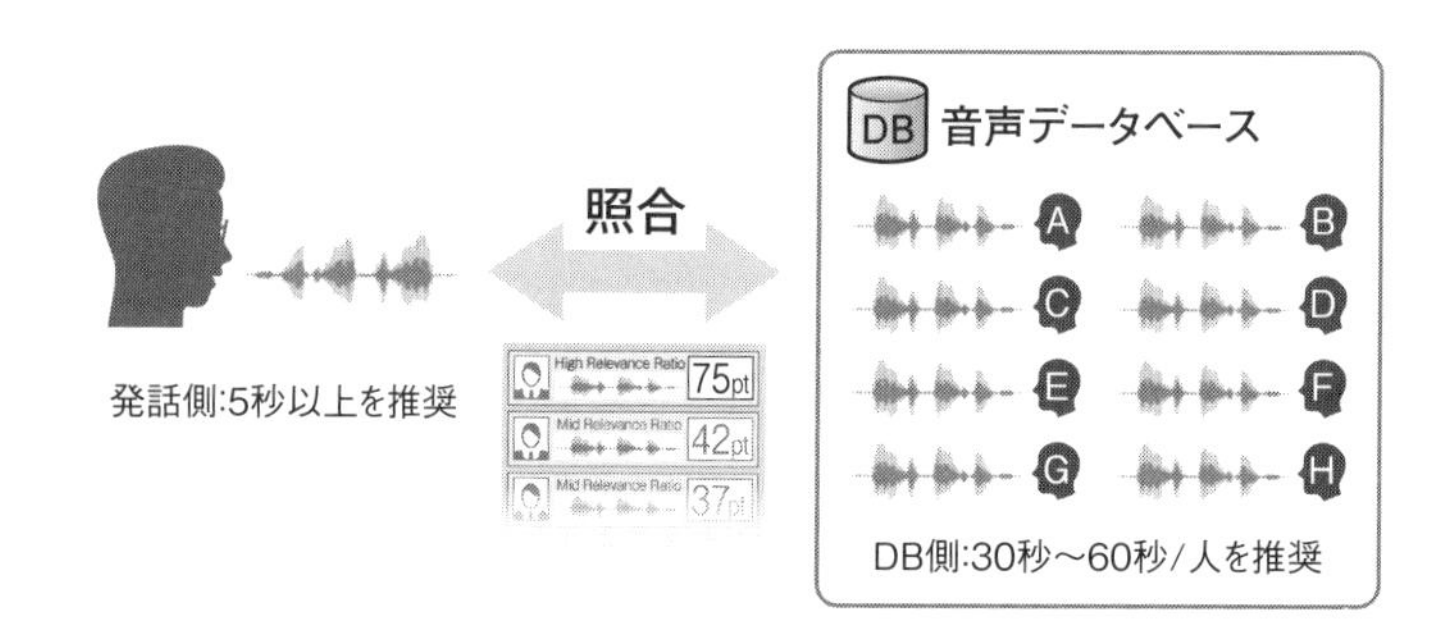

図表4-6
耳音響認証の概要

一人ひとり異なる耳穴の形状から認証する技術

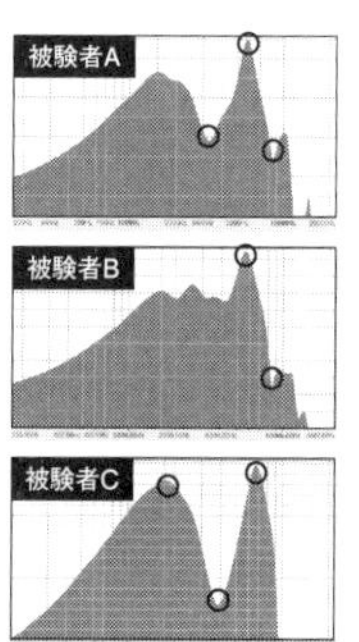

認の精度を上げるためには、数秒から十数秒の発声が必要であり、電話などを介して遠隔で認証する場合には、ノイズの影響も受けます。

⑤ 耳音響認証（図表4−6）

耳音響認証は、一人ひとり耳穴の形状が違うところに着目し、そこに一定の音を流したときの反響音をもとに個人を識別します。音を流して返ってくる反響を拾うため、マイク付きイヤホンのような装置を使う必要があります。逆に言えば、今は音楽などを聴くために、イヤホン市場は花盛りです。このイヤホンを利用すれば、本人確認ができるというわけです。耳穴は外から見えないため偽造はほとんど不可能です。また、イヤホン装着中は、継続して本人確認ができる点もメリットです。

コラム⑧　ケニアでの新生児・乳幼児本人確認

本書は顔認証の話が中心ですが、指紋認証で世界を変えようとしている研究者がいます。幸田芳紀さんは、１９９７年にＮＥＣに入社し、指紋認証の事業開発を担当してきました。現在はバイオメトリクス研究所に異動し、新生児向けの指紋認証端末の研究開発を担当しています。新生児指紋ビジネスを開拓するために、日本とアフリカを何度も往復して、日々奮闘をしている、とてもエネルギッシュな研究者です。本コラムでは幸田芳紀さんの活動を紹介します。

幸田芳紀さん

今、世界で法的な身分を持たない人々は11億人に上ります。どの国にも正式な国民として登録されていないため、社会保障や医療、食糧、教育機会、就業機会が与えられていない状態にあります。実際、5歳未満で失われた命は年に520万人、生後4週間以内で失われた命は年240万人。適切なワクチン接種が実施されていれば防げた病気が死因と言われています。これは開発途上国が貧困を脱却するための最重要課題に位置づけられます。

このような状況の中、私たちはSDGs（持続可能な開発目標）の目標の1つである「平和と公正をすべての人に」の下に掲げられている「2030年までに法的な身分証明を

提供する」という目標に着目しました。とりわけ全世界の5歳以下の子供の27%が出生登録されていないために、新生児・乳幼児が特に大きな犠牲を強いられています。

この出生登録促進に指紋認証を生かそうと取り組みを開始しました。

最大の課題は、生体情報採取時に子供本人や親に負荷をかけないことです。乳幼児であれば、寝ていること、泣いていることはもちろん、手を握りしめていたり、指をそらせたり、口を閉じていたりすることも当たり前です。親に抱かれていれば体勢は限られますし、抱いている親も手がいっぱいです。こうした状況にある子供に対応できる方式でなければなりません。

第2の課題は、発展性や拡張性です。国民ID制度と連携でき、出生証明機能があること、社会保障・保健・教育にも応用できること、病院での赤ちゃん取り違え防止に応用できることなどが求められます。

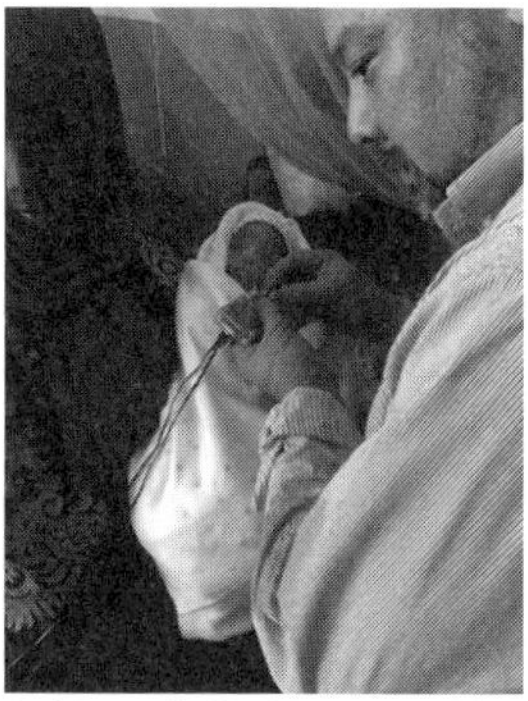

新生児から指紋を採取している様子

もちろんこうした課題に加え、装置は利用者の負荷が少なくて小型、軽量であること、屋外でも利用できるように防塵・防滴・丈夫であること、人体に影響がないこと、そして低コストであることも重要です。

私は、ケニアを舞台に実証実験に取り組みました。現場では新たな課題も浮かび上がりました。現地では生後わずか6時間未満で退院するのが当たり前です。となると、出生証明書の発行やワクチン接種記録・親子関係検証のために、生後2時間以降の病院にいる限られた時間内の指紋で生体認証する必要がありました。

ところが、赤ちゃんの指には特有の問題があります。新生児指紋は成人指紋の縮小版ではないのです。まず濡れ指といって汗が多く濡れています。その汗が出てくる汗腺孔で、指紋の線が分割されやすくなります。そこで、超高解像度撮像機と柔らかい指のつぶれを防ぐデザインで微細指紋を撮像する専用機を開発しました。また、指紋に加え、出生直後の新生児から顔や音声などの生体情報も採取するツールを作成しました。

実証実験の結果、生後2時間の新生児の指紋認証という世界初の試みで、99・7%の精度を実現しました。現在は新生児・乳幼児のワクチン普及を目的に、幼児指紋認証の実用化を進めています。

――複数の生体認証を組み合わせることで得られる相乗効果

第1章でも説明したように、DNAや筆跡など身体の一部を使った認証も生体認証に含まれます。認証に使う生体特徴にはこのようにいろいろありますが、常にその特性に応じて、顔や虹彩のような生体特徴の使い分けが必要です。たとえば、顔認証や虹彩認証は非接触という特性がありますし、指紋認証は10指を使えば高い認証精度になります。通話中に本人確認をしたい場合には、声認証が有効です。

実はNECは、生体認証の研究開発に50年の歴史を持つパイオニア企業です（図4－7）。今からさかのぼること半世紀前の1971年に指紋認証の研究開発を開始しました。実用化までにかなり時間がかかったものの、1982年に警察庁に納入することができました。今では当たり前となっている指紋認証システムですが、最初に導入されたのは約40年前のことでした。NECの元指紋認証の技術開発者で、NECソフト株式会社本社技師長を務めた星野幸夫氏によると、1984年にサンフランシスコ警察で導入されたNEC製の指紋照合システムが顕著な実績を上げたために、急速に市場が立ち上がったそうです。同氏によれば、NEC製の指紋照合システムは、ロサンゼルスで「Night Stalker」と呼ばれた連続殺人犯を割り出したり、サンフランシスコでは強盗犯が急激に減少するのに貢献したとのことです。

その後、1989年に顔認証技術の研究開発に着手、その後は第3章で説明したとおりの発展を遂げています。

虹彩認証は、2007年から研究開発を始めています。現在も指紋認証、顔認証、虹彩認証の研究開発を続けており、研究者は日夜切磋琢磨しています。第3章で紹介したNISTによるベンチマークでは、2021年時点で指紋認証で8回、顔認証で6回、虹彩認証で2回トップを獲得しており、生体認証の分野において世界有数の研究開発力を持つ企業として評価されています。

私は顔認証のエキスパートとして今後も顔認証の可能性を追求していきますが、同時に他の生体認証との連携にも大きな可能性があると考えています。考えてみれば、私たちの家の鍵も、1つよりは2つのほうが安心感が高まります。これと同じで、複数の生体認証を組み合わせることで相乗効果が得られます。

複数の生体認証を組み合わせることを「マルチモーダル生体認証」といいます。マ

図表4-7
NECの生体認証への取り組み

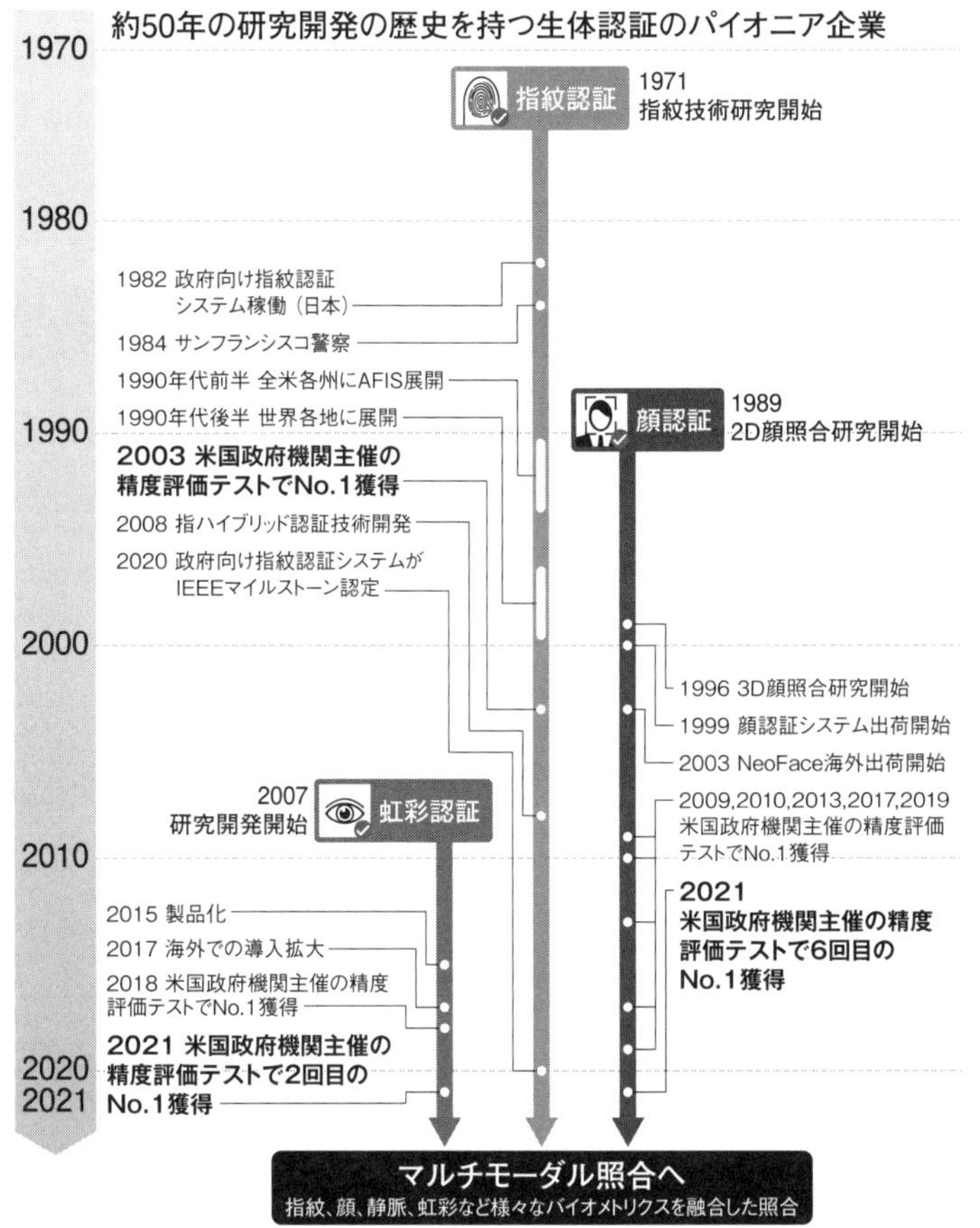

技術向上、マルチモーダルなシステムの追求など、
生体認証のさらなる向上とともに日常のさまざまなシーンへ活用領域を拡大

ルチは「複数」、モーダルは「方式」という意味なので、文字どおり複数の生体認証を連携させる方式を指します。

――13億人を見分ける挑戦　～マルチモーダルの応用事例～

今や13億人を超える人口を抱えるインドで、2009年に歴史的な巨大プロジェクトが始まろうとしていました。インド固有識別番号庁（UIDAI）で、公共サービスや金融サービスを国民が公平に享受できる社会を目指して、国民一人ひとりに固有のIDを発行する「Aadhaar（アドハー）プログラム」が立ち上げられたのです。

日本にもマイナンバーカードがありますが、インドの場合、文字どおり桁違いの人口が大きな壁となります。たとえば、同姓同名が膨大な数に上るため、国民一人ひとりを確実に識別して公平に社会サービスを提供する方法が求められていました。

「すべての国民を正確に把握して公平な社会サービスを提供する」というインドの課題に対して、NECでは、指紋・顔・虹彩を活用する大規模生体認証システムを提供することで本プログラムに貢献しています。

世界的に知られた最速・正確な生体認証技術を駆使し、重複のない身分証明システムです。これを受け、プロジェクトを担う政府機関UIDAIは、全インド国民に12桁の数字を発行する方針を打ち出しました。翌2010年から個人識別番号Aadhaarの付与を開始し、現在は12億人以上が登録を済ませています。

「Aadhaarプログラム」が導入されてからは、公共機関や銀行は、このIDにより社会保障の受け取り時や口座開設時の本人確認を行うことができるようになり、なりすましの防止や手続きの簡素化を実現しました。

――誤認率100億分の1を達成した究極の組み合わせ「顔認証×虹彩認証」

私たちはNISTでの戦いを通じて圧倒的な精度の顔認証技術を開発してきました。しかし、さらに上を目指すための一環として、顔だけでなく複数の生体認証を組み合わせるマルチモーダル生体認証の可能性も追求しています。特に力を入れているのが、顔と虹彩のマルチモーダル生体認証です。

なぜ顔認証と虹彩認証を組み合わせるかといえば、虹彩は顔の一部であるため、顔をカメラに向けるだけで、顔と虹彩が同時に撮影できるからです。顔を向けるという一瞬の動作のみでマルチモーダル生体認証（ここでは顔と虹彩）ができるという点では、他の生体認証では実現できない非常に相性の良い組み合わせと言えます。

　顔認証と虹彩認証を組み合わせると、認証精度は実に１００億分の１の誤認率（他人受入率）になります。つまり１００億人に１人誤る程度の圧倒的な高精度です。言い換えれば、全世界の人口は２０２１年現在で78億人ほどですから、世界の全人口をカバーし、確実に見分けられる究極の生体認証と言えます。

　厳格な本人確認が可能ですから、金融

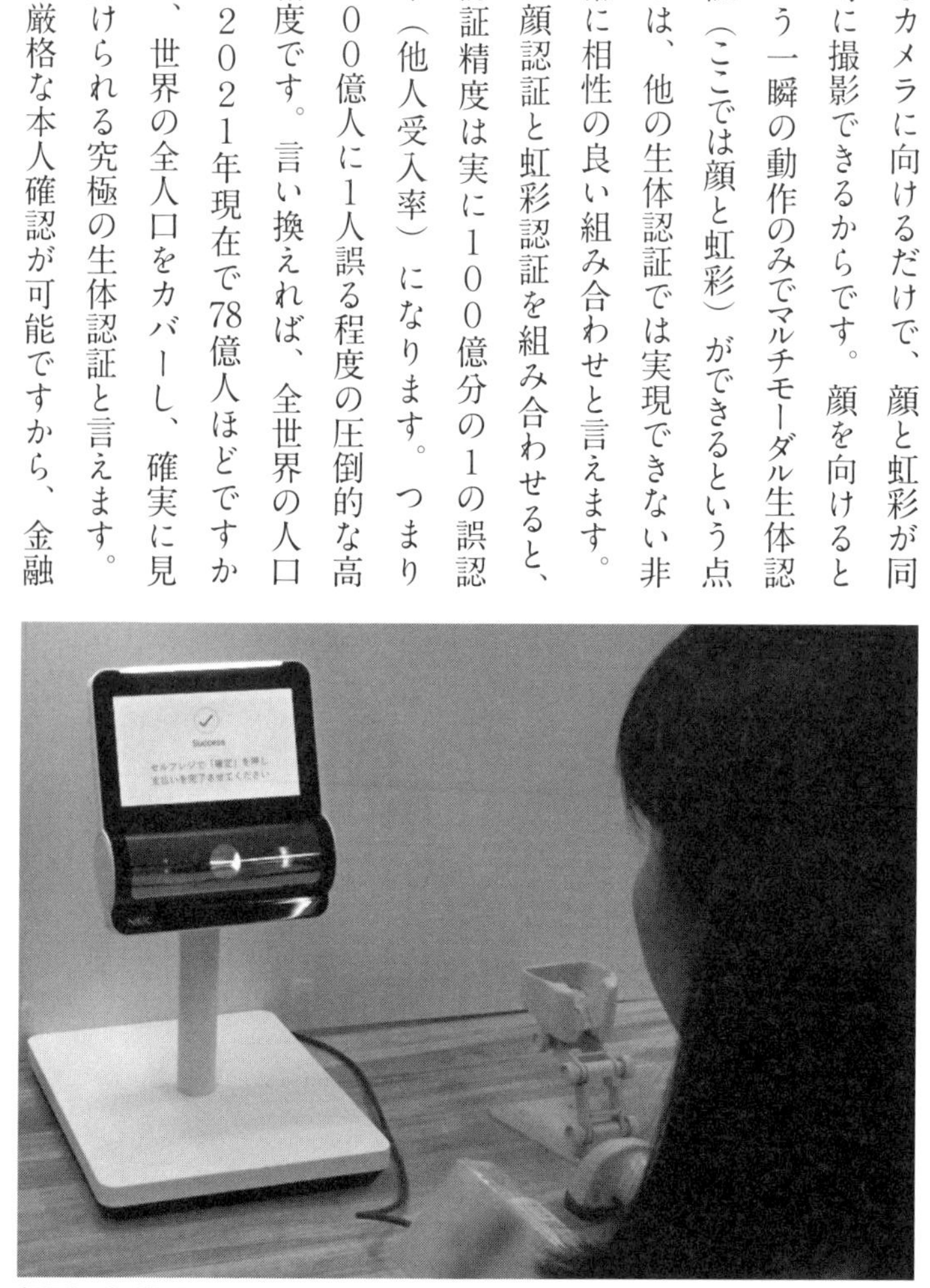

顔認証と虹彩認証によるマルチモーダル生体認証端末

決済や医療現場にも対応できます。しかし、そのような認証に使われる装置は、前ページの写真のように非常にコンパクトなものです。利用者はこの装置のカメラを見るだけで済みます。装置が顔を検出し、まず顔画像はこれまでも顔認証の技術で解説してきたように、特徴点を抽出して照合します。

その一方で、虹彩の処理も実行されます。カメラの向きを自動制御して目を検出し、焦点や明るさを自動調整して虹彩画像を取得し、顔と同様に、虹彩の特徴点を抽出して照合します。そして、顔の認証結果と虹彩の認証結果を総合し、本人かどうかを判定します。この一連の処理にかかる時間は、わずか2秒です。この顔・虹彩マルチモーダル生体認証は、マスクや帽子などを着用していても高い精度で認証が可能なうえ、利用者が装置に触れる必要がないので、衛生面の不安もありません。

「誤認率100億分の1」という圧倒的な高精度、顔を向けるだけの非接触という特徴は、データセンターなど極めて高いセキュリティ管理が求められる施設のほか、衛生面の配慮が必要な食品・医薬品の製造施設、クリーンルーム、医療現場の入退室をはじめ、多様な用途に適しています。

3　マルチモーダル生体認証で「手ぶら社会」へ

これまで生体認証の現在について説明してきましたが、本節では生体認証の未来について説明したいと思います。

――顔を〝鍵〟として使うことで、手ぶらでも自分を証明できる

社会のデジタル化はさまざまな利便性をもたらし、私たちの暮らしはずいぶん便利になりました。しかし、その一方で、本人確認のためにいくつものパスワードやＩＤカードなどを管理せざるを得なくなり、そのようなＩＤの紛失や盗難のリスクも常についてまわるなど、新たな不便も生まれています。

顔認証はそうした不便を解消する一助となっています。本章の最初に紹介した事例からもわかるように、顔という〝鍵〟を使うことで、手ぶらでも自分が自分であるこ

とを証明することができるからです。実際、顔認証の世界は、本書でも紹介しているようにずいぶん広がってきました。

私は、さらに次のステージを見据えています。その1つは、本章の第2節で触れたように、各種生体認証を組み合わせるマルチモーダルの世界だと考えています。顔認証を軸に、必要に応じて虹彩や指紋などさまざまな生体認証を組み合わせて、さらに高精度で、多様な状況に対応できる本人確認が可能となる世界です。

言い換えれば、パスワードや鍵、カードなどの管理に気を使う必要がない社会です。顔はもとより、虹彩など各種生体認証を組み合わせた共通のIDによって、多種多様な生活シーンを切れ目なくつなぐことにより、ポケットや頭の中に余計なものを何も持つ必要のない世界が誕生します。せっかくの記憶力を、いくつものパスワードを覚えておくために消費するのは、実にもったいないではありませんか。

その例として、すでに紹介した顔と虹彩のマルチモーダル生体認証システムは典型と言えます。とりわけ、「顔」と「虹彩」という2つの認証を組み合わせるのは、非常に効果が高く、効率的でもあると考えています。指紋の場合は指を装置に触れざるを得ませんが、顔も虹彩も、本人が装置などに触る必要がないからです。

しかも、顔と虹彩のどちらも顔面にありますから、1回の撮影でどちらのデータも拾うことができます。顔を1回カメラに向けるだけで済むという点は大きな利便性でありながら、実際には〝二重の鍵〟でさらに高精度になっているという一石二鳥のメリットがあります。今は、オンライン会議などカメラに顔を向ける機会も増えていますし、社会においては非接触を重視する傾向もあり、顔と虹彩を組み合わせたマルチモーダル生体認証は将来的に非常に有望な方法と考えられます。

──マルチモーダルが社会全体で使われるようになる時代へ

今、顔と虹彩で〝二重の鍵〟と説明しましたが、厳密に言えば、二重ではなく三重なのです。というのも、虹彩は、左右の目でパターンが異なるため、それぞれ独立して数えることができます。したがって、「顔」「右目の虹彩」「左目の虹彩」の三重鍵になるのです。本人と他人を誤認する割合（他人受入率）は100億分の1以下という極めて高いセキュリティが期待できます。

そこから見えてくるのは、ポケットや頭の中に何も持たなくても、自分が自分であると証明できる社会です。このようなマルチモーダル生体認証がオフィスビルや空港の入退場管理などに広がってくると、今度は1カ所だけで完結するのではなく、1つのエリア内や街の中、さらには社会全体で使える世界も視野に入ってきます。

こうした広がり方を説明するとしたら、電車・地下鉄の切符代わりに登場したＳｕｉｃａやＩＣＯＣＡ、ＰＡＳＭＯなどの交通系ＩＣカードがわかりやすいのではないでしょうか。今や駅の改札での用途にとどまらず横にどんどん広がり、コンビニでの支払いにも使われるようになっています。電車に乗るために必要だった認証がコンビニでの買い物にもコネクトされていくわけです。これと同じ広がりが、顔認証を軸とするマルチモーダル生体認証にも期待できます。

――マルチモーダルが生み出す、高度にパーソナライズされたサービス

本章の最初で南紀白浜の例を顔認証の応用例として紹介しました。しかし、見方を変えれば、これはマルチモーダル生体認証のうちの顔認証が主に使われた事例とも言えます。空港であなたの顔を発見するなり、「○○さん、ようこそ」と声をかけられ、

現金の持ち合わせがなくてもタクシーに気軽に乗って、ホテルでは面倒なチェックイン手続きもなく、顔を見せるだけで指定された部屋に直行。レンタカーも顔で借りて、お店ではおみやげを顔で買うなどの事例を紹介しました。これは実際に街に広がりを見せています。

高額の決済をするような場面では、さらにセキュリティを高めるために、顔だけでなく、顔と虹彩を組み合わせることで、安心して支払いができます。逆に、空港で「○○さん、ようこそ」と声をかけるような目的であれば、わざわざ顔と虹彩を組み合わせなくても、顔認証だけでいいわけです。このようにセキュリティのレベルを認証方式の組み合わせ方で調節できるのも、マルチモーダル生体認証の利点と言えます。

特に海外からの旅行者にとっては、空港で行きたい場所を登録しておくだけで、あとは顔ひとつで充実した観光サービスが受けられるようになります。旅程を登録しておけば、顔認証で「○○さん、今日は美術館を訪れる予定です。ここでタクシーを呼び出せます」といった案内も可能です。現地通貨の持ち合わせがなくても、空港からすぐにタクシーも使えますし、通訳サービスとも連携可能です。そのように1カ所にとどまらず、いろいろな場所や施設、交通機関などがマルチモーダル生体認証で相互にコネクトされれば、さまざまなアイデアも生まれてきます。

たとえば遊園地。過去の来園時に特定のキャラクターの商品をいくつもおみやげに買っているデータと顔認証を連動させて、次回の来園時には、そのキャラクターを使って「○○さん、ようこそ。3回目のご来園ありがとうございます」とか「○○さん、ようこそ。お誕生日おめでとうございます。楽しい1日を」といった声かけで、楽しさは何倍にもふくらみます。まさしくパーソナライズされたおもてなしと言えます。

さらに園内に新しいアトラクションができていて、過去に乗ったことがなければ、その近くを通りかかったときに「○○さん、前回のご来園後に誕生した新しいアトラクションがここにあります」と、せっかくの機会を逃さないように案内することもできます。

このように、本人確認はあくまでも何かを仕掛ける入り口にすぎません。本人かどうかを確認でき、地域や社会で多種多様なサービスが相互に接続されるからこそ、その先に利用者個別のニーズや行動に合わせて充実したサービスを提供する機会が生まれます。どこにいても、顔を見てすぐに対応してくれる有能なコンシェルジュや秘書がいるような状態になりますから、高度にパーソナライズされたサービスが実現します。

当然、個人情報との兼ね合いは考えなければなりません。自然に認証できていて、しかも本人が自分の個人情報をコントロールできている状態にする必要があります。もっとも、それは顔認証やマルチモーダル生体認証に限った話ではありません。ネットショッピングでのレコメンデーション機能やオンライン広告も含め、大きなデジタル化の文脈の中で、「個人情報をどう扱うべきか」という議論が進むべきだと考えます。

——個人向けに最適化されたサービス

マルチモーダル生体認証は、決済のように高いセキュリティのレベルが求められる場合でも対応できることはすでに触れましたが、もう1つ大切な役割があります。それは病院など医療の現場です。

病院には、指を怪我してしまい、一時的に指紋が使えない人も来院します。顔を怪我して、顔認証が難しい人もいるでしょう。眼帯をしていれば、虹彩認証は無理かもしれません。病床の患者を無理矢理起こして認証することなどできません。このよう

図表4-8
生体認証技術が目指す世界

生体認証IDであらゆるサービスを結びつけ（コネクト）、各個人に最適化（パーソナライズ）

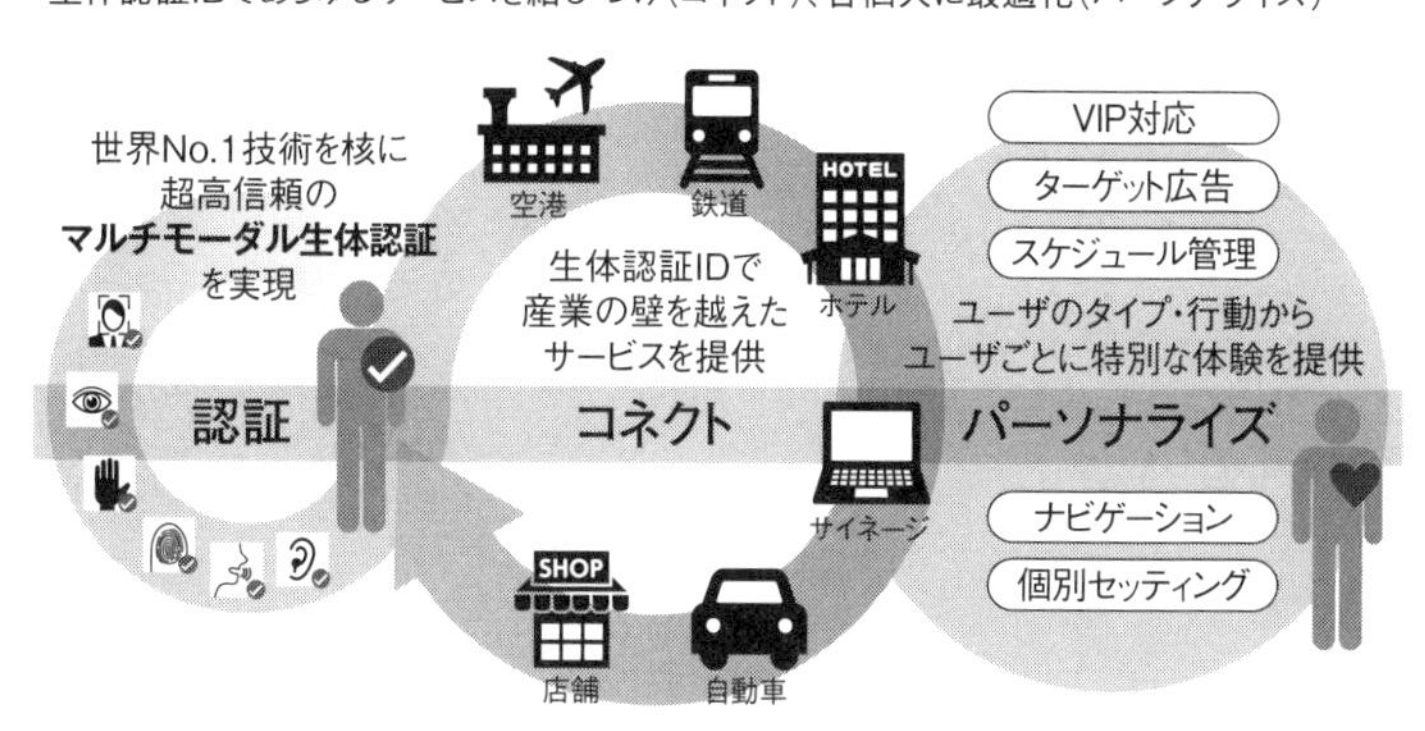

な場合でも、マルチモーダル生体認証になっていれば、どれか1つが欠けてしまっても、それ以外の部分で本人確認ができます。患者さんの状況に合わせて、使える認証方式で認証するという柔軟性が生まれるのです。これもマルチモーダルならではの利点と言えます。この医療分野への応用については、次節で詳しく説明します。

今後、生体認証が目指す世界として、生体認証IDをあらゆるサービスに結びつけ（コネクト）、各個人に最適化（パーソナライズ）されたサービスを提供する世界を考えています（図表4−8）。

4 いろいろなところに顔がある　～医療現場への応用～

私自身は顔認証技術の研究者の道を歩んできました。しかし、顔認証自体はあくまでも1つの手段であって、ここまでご紹介した用途以外にもいろいろな使い道があります。

ここで発想を変えてみると、応用範囲はさらに広がります。顔認証の「顔」は、必ずしも人間の顔に限定する必要はありません。顔のように見えるものにも応用できるのです。

――がんの腫瘍にも顔がある

2015年1月、バンコクの空港での何気ない会話から、顔認証が思わぬ分野で活躍する糸口が生まれました。当時、NECは国立がん研究センター中央病院と共同で、病理画像を解析する研究に取り組んでいました。チームがバンコク出張に出かけた際、空港での待ち時間にＮＥＣの社員と内視鏡専門の医師がたまたま雑談をしていて、空港にもＮＥＣの顔認証技術が導入されはじめているという話題になったところ、医師の口からこんな言葉が飛び出しました。

「実は腫瘍にも顔つきがあるんです。その顔認証技術でがんを見つけられないですかね」

後日、その社員が私のところにやって来て、「医師とこんなやり取りがあったのだが、何とかならないか」と持ちかけられたのです。私自身は長く顔認証に関わってきて「次に新たなことをやりたい」と漠然と考えていましたが、まさか、がんの顔を認証することになるとは思いもしませんでした。

医師から提供された病変の画像は８枚です。これを加工して数十枚に増やし、顔認証の技術で、がんかどうかを識別する実験に着手しました。すると、正解率は70％ほどでした。最初の実験にしては悪くない数字だったため、深層学習で学習を重ねていけば精度は高まるはずだと手応えを感じたのです。このことが、私が人間の顔に加えて、病変の〝顔〟にも手を広げるきっかけとなりました。

――がんの病変を顔認証技術で見分ける

2016年には、国立がん研究センター中央病院との共同研究が本格的に始まりました。考え方は顔認証と基本的に同じです。まず、がんの病変の画像をAIに大量に学習させておきます。そして医師が内視鏡で被験者の腸内の画像を撮影し、そこにがんの顔が存在するかどうかを判断します。もちろん判断の主役は医師ですが、見落としがないようにAIが支援するのです。実際、大腸がんはベテラン医師でも判断は困難を極めることがあると言います。それでも、顔認証技術で大腸がんやがん化する前のポリープを判別する高い精度のアルゴリズムを開発することができました。

とはいえ、人間の顔とがんはやはり別物です。人間の顔は目や鼻の位置など基本的な配置は同じですが、がんの場合、多種多様な顔つきを示します。そこまで複雑な顔を識別できるのかどうかが大きな課題でした。

やがてプロジェクトの規模は拡大し、病院からは内視鏡医の所見が記された5000例、25万点の内視鏡画像が学習用に提供されました。がんの中には見分けづらいものもあり、何度も専門医から説明を受けました。専門医でなければ見落としてしまうような微妙な病変もあります。

また、前がん病変と言って、がんになる可能性のある病変もあります。どこまでをがんとして学習に含めるか、がんの部位はどこなのかを、がんセンターの先生と協力して作成しました。これをひたすら深層学習で学習させていったのです。

内視鏡検査では、医師が腸内に挿入したカメラを移動させながら、モニター画面に映る腸壁を観察していきます。その際、腫瘍やポリープの疑いがある部分を発見した場合、その場でカメラの先端についたハサミで一部を切除して回収し、精密検査に回します。したがって、腸内をカメラが移動して撮影している間に、顔認証で言えば照合処理まで実行して、疑わしい部分があれば、すぐその場で医師に「病変の疑いあり」と助言する処理スピードも求められるのです。

ところが、深層学習が生み出した解析モデルは、非常に実行時間がかかるものだったため、処理スピードをどこまで上げることができるかが課題でした。

もう1つの課題は、病変があるのに見過ごしてしまう誤りと、正常な状態なのに腫瘍だと過剰に反応してしまう誤りをいかに減らすかでした。前者は、必要なのに検知しないことから「未検知」と言い、後者は過剰に検知することから「過検知」と言います。開発しているシステムでは、病変が見つかればアラームが鳴る仕組みなのですが、少しでも病変の可能性があれば敏感に反応するように設定してしまうと、過検知だらけになり、検査中にアラームが鳴りっぱなしになってしまいます。これではまるでオオカミ少年のようになってしまい、医師からの信頼性はガタ落ちです。逆に感度を落とせば、今度は未検知が発生し、こちらも使えないシステムの烙印を押されてしまいます。ですから、このバランスのとり方に大いに悩みました。

――医療の世界の〝飛び地〟を顔認証とAIで見つける

２０１７年に国立がん研究センターと共同で、その成果を発表することができました。精度を上げるにはかなり苦労しましたが、前がん病変としてのポリープと早期がんの発見率は98％という結果となりました。一方で、偽陽性率は１％に抑えることができました。また、処理速度についても、動画各フレームにおける検知と結果表示を約33ミリ秒以内（30フレーム／秒）で行うリアルタイム化に成功しました。そ

図表4-9
2017年に発表したリアルタイム内視鏡診断支援技術の概要

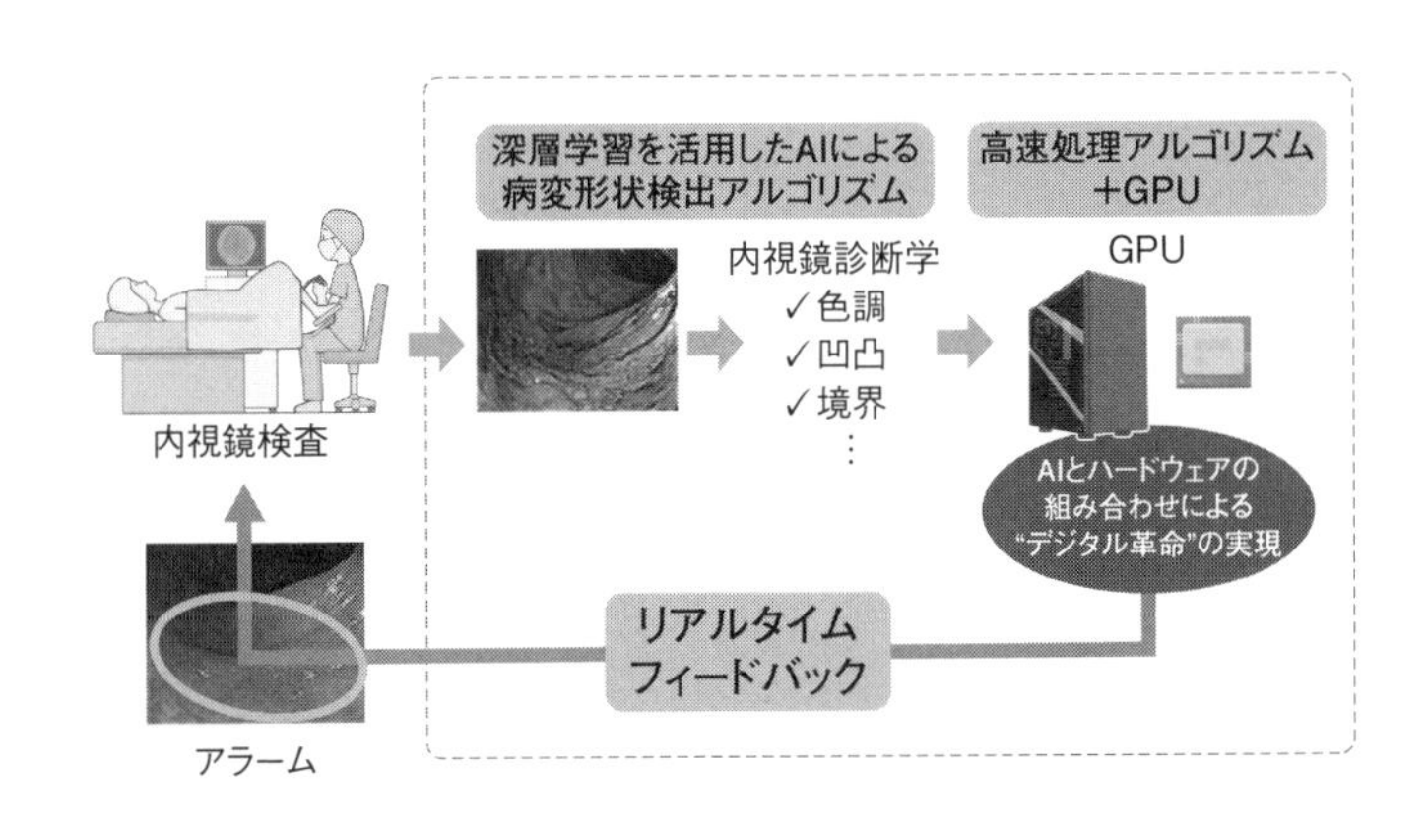

の後、臨床現場で使用するために改良を重ねて、少し時間はかかりましたが、2021年に製品化することができました（図表4-9）。

このプロジェクトをはじめ、医療の分野で私たち顔認証チームに課せられた使命は、〝飛び地〟を見つけてくることだと思います。医療の領域では、AIを使ってできる部分がまだまだたくさんあります。医療の専門家と連携しながら、こうした〝飛び地〟を確実に見つけ出し、顔認証やAIで解決していきたいと考えています。

5 顔認証によるヘルスケア応用

前節では、顔認証技術の医療応用について述べてきましたが、予防医療としてのヘルスケアや遠隔診療のサポートにも、貢献していきたいと考えています。顔をますます正確に捉えられるようになれば、応用範囲も広がります。そこで本節では、顔認証で健康をケアする社会の到来を考えてみたいと思います。

――顔認証技術で病気の兆候をつかむことができる

私たちは、家族や友人の顔を見て、「顔色が悪いけど大丈夫?」とか「表情が暗いけど、何か悩みごとがあるんじゃないの?」など、体調を気遣うことがあります。顔に心身の健康や感情などに関わる何らかのサインが表れている証拠です。

ならば、「顔認証の技術でこうした情報を拾えないだろうか。これをＡＩで認識する余地がまだまだあるのではないか」というのが、ヘルスケア分野の研究を始めるきっかけでした。

顔色の変化、顔の動き、視線、まばたき、瞳孔の大きさ、虹彩の動き、表情など顔の情報をもとに、心拍変動や心拍数、体表温度、呼吸数、血中酸素濃度、血中アルコール濃度などの生理情報や、認知機能、感情、ストレス、集中力、覚醒度、緊張度などの内面状態を知ることができれば、心身の健康状態を判断するきっかけになります。

――顔認証技術が健康に役立つ

顔認証技術には、顔の特徴だけでなく、視線を検出したり、虹彩、瞳孔を正確に捉えたりする技術もあります。すでに私たちは、離れた場所からでも視線の方向をリアルタイムに、かつ高い精度で検知できる遠隔視線推定技術を開発しています。

従来も視線を検知する技術はありましたが、赤外線ライトとカメラがセットになった専用装置が必要で、近距離から赤外線ライトを目に当てて、その反射の方向で視線を検知していました。

これに対して、私たちが開発した技術は、得意の顔認証技術の中核となる顔特徴点検出技術を使い、目頭や目尻、瞳など目の周囲の特徴点を正確に特定することで視線を捉えます。このため、普通のカメラさえあれば、上下左右5度以内の誤差で高精度な視線方向を検知することができます。しかも、カメラから10メートル離れた人物でも視線を検知することができます。また、処理速度が高速になったため、複数の人々の視線方向を同時に検知することも可能になっています。

視線はほんの一例にすぎません。顔をますます正確に捉えられるようになれば、応用範囲も広がります。顔認証の技術を使えば、顔色の変化、顔の動き、視線、まばたき、瞳孔の大きさ、虹彩の動き、表情など、さまざまな情報を得ることができます。

――夢は、顔認証技術による幸せな社会の実現

近年、コロナ禍を背景に、オンライン会議やテレワークなどの普及が一気に進みました。言い換えれば、パソコンなどの画面に顔を向ける機会が大幅に増加したことになります。これは、利用者の顔を真正面から至近距離で捉えられるようになったこと

図表4-10
顔認証によるヘルスケア応用のコンセプト

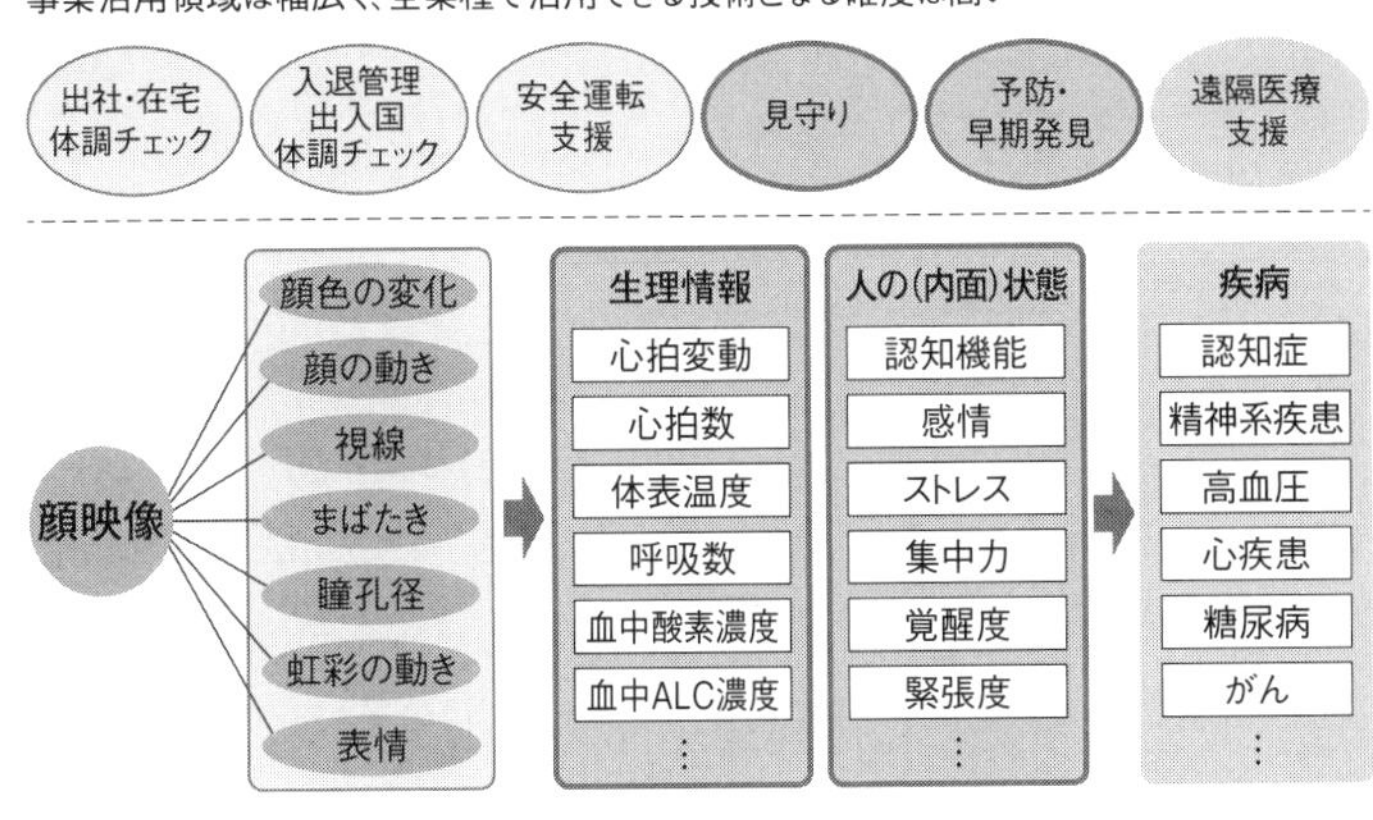

を意味します。つまり、今挙げたような顔の情報を取得して、医療に生かす応用が現実味を帯びてきたということになります。

「顔認識技術をヘルスケアに応用する」というコンセプトは、幅広い事業に活用できます（図表4－10）。企業では、社員の出社時や在宅での体調管理に使えます。空港では、出入国の際の体調チェックで感染症対策はもちろん、さまざまな用途に利用できます。

車を運転するときには、ドライバーの体調変化をいち早くつかむきっかけになります。何らかの異常を察知した時点でドライバーに緊急停止を呼びかけたり、救急車を要請したりすることも可能でしょう。

高齢化する社会で一人暮らしの高齢者が増える中、見守りのニーズにも対応できます。もちろん、高齢者に限らず、すでに一部で運用が始まっている遠隔医療でも、医師にさまざまな情報を提供できるようになれば、診察の精度はさらに高まるでしょう。

私は、脳の研究や顔認証の研究に長年携わってきたこともあり、顔を深く知る機会に恵まれました。こうした取り組みを通じて、今後は医療研究者と共同で人間の心身の健康を解き明かしていく形で社会の役に立ちたいと考えています。

6 未来に向けて ～日本社会のデジタルトランスフォーメーションに挑戦～

本書では、顔認証を中心に他の生体認証も含めて説明してきました。私という人間と、自分の名義の銀行口座を自由に使う権利が暗証番号や銀行印でつながっているように、生体認証は、リアルの世界である「本人」とサイバーの世界の入り口である「ID」を結ぶ非常に重要な技術であり、今後ますます発展することが期待されます。

――顔認証の定着にはさまざまな議論が必要

生体認証が普及した究極の世界では、複雑で面倒なパスワードや暗証番号を覚える必要はないし、鍵やカード、証明書といった毎日持ち歩かなければいけないものも大幅に減ると思われます。要するに、自分自身や自分自身が所有する権利を証明することに気を使うことがない社会が実現するはずです。自分が自分であると証明するために、自分の体ひとつあればいいわけです。

このような世界の実現には、個人情報を保護するセキュリティ技術が重要ですし、プライバシーにも配慮した法整備が必要であるため、もう少し時間がかかるかもしれません。最終的にはいろいろな認証技術のハイブリッドになる可能性もあります。たとえば、携帯電話が完全になくなるようなことは想定されにくいので、それを使った何らかの認証も残るはずです。技術の利用について重要なことは、技術のことだけでなく、それに伴う社会環境、法律、慣習や、実現したい社会の方向性も含め、さまざまな角度から議論することです。

――人間とAIがともに進化する時代へ

顔認証技術は、AI技術とともに進化を遂げてきました。1950年代に初めて「人工知能」と命名された技術に端を発した現代のAI技術は、深層学習（ディープラーニング）の進化により加速度的に進歩しており、今後10年でさらに実用化が進むものと思われます。

顔認証は、人間の脳にたとえると、第1章でも述べたように脳の中の1つの機能です（もちろん非常に重要な機能です）。その他にも、脳には音声を認識する機能、体性感覚（皮膚感覚と、手足の動き・位置を伝える深部感覚）を統合する機能、記憶をつかさどる機能、それらすべてを統合する機能などもあります。

その意味では、現在のＡＩ技術は、人間の脳の多様な機能のうちの一部を代替するものとなっていますが、「統合的な知」という点では、人間にはまだまだ及びません。また、「ＡＩの進化により、人間の仕事が要らなくなる」という議論がありますが、そんなことはないと考えています。たとえば、人間が機械に農作業を手伝ってもらっているのと同じように、ＡＩに仕事を支援してもらうようになります。だからといって、人間の仕事が不要になるわけではありません。むしろ、人間は「人間でなければできない活動」にもっと重点を置くことができます。

もっとも、どの活動をＡＩに支援してもらうかについては、個人の価値基準によって違うでしょう。農業用の機械が豊富にある今でも、手作業の農業にも価値があるように、一見、ＡＩが適していそうな分野でも、あえて人間が関わることでさらに高い価値が生まれる可能性があるように思えます。実際、世の中には、「手づくり」を掲げた店がたくさんあることが何よりの証拠でしょう。

さらに、人間の知力とＡＩが共存してともに進化できれば、よりよいものができるはずです。現に、将棋の棋士はＡＩの動きを参考に新たな手を考えていますし、ＡＩも棋士の手を使って学習することにより、さらに強くなっています。棋士は、ＡＩと人間のどちらが強いかということよりも、ＡＩがどういう手を打つのか、ＡＩが考えた打ち手の評価値を気にしていると言われています。これまで考えてもみなかったような打ち手をＡＩが高い評価値をつけていたら、棋士はなぜそのように評価したのかと考えてみることで、新しい打ち手が生まれてくると言われています。これは、人間とＡＩがともに進化する〝共進化〟の好例と言えます。

――テクノロジーの進歩は無限大

今後、ＡＩだけでなく、５Ｇ（第５世代移動通信システム）や６Ｇ（第６世代移動通信システム）に代表されるネットワーク技術、量子コンピュータ、クラウドなどのコンピューティングシステムがさらに進化していくと考えられます（図表４－11）。

図表4-11
NECが目指す社会像　社会課題・経営課題の解決とテクノロジーの深化

とまらない社会を築き産業と仕事のカタチを創る

ビジネスプロセスのあらゆる段階での自動化・最適化

AIが熟練した人間の意思決定を代行するとともに、AIどうしが連携・交渉する。取引約定の自動化やAGVなど移動体の自律制御など互恵関係を見出し、社会全体の最適化が実現

リモート・バーチャル空間での労働支援

リモートコミュニケーションの高度化に伴って、場所や時間、国境の制限を超え、リアルの臨場感がバーチャル上でも再現される。人々は対面で会ったことがない人とも親密な関係を築き、スムーズに協働する

デジタル・ガバメント/AI・データによる個別化された防災

デジタルIDや認証技術を軸に、行政サービスの変革が進展するなど行政手続きの完全デジタル化への移行、税金関連など完全自動化が実現。災害発生時の個別化された避難指示サービスや救援物資輸送の効率化

個人と社会が調和し豊かな街を育む

City as a Serviceとデジタルトラスト

複数のサービスを束ねて活用できる個人認証やデータ流通をコントロール可能なデジタルトラスト基盤を都市・企業に提供。複数の個人データを束ねた1つのIDで利用可能な、シームレスで便利な都市サービスが実現

都市におけるモビリティサービスの制御

都市の陸・海・空のモビリティ、道路、物流のデータを統合した移動の制御を行う。渋滞ゼロ、事故ゼロ、環境負荷軽減の実現に貢献

データ駆動型の都市運営

リアルの都市を丸ごとバーチャル空間上で再現して各種シミュレーションや分析を行う。都市の防災や計画策定、政策効果測定などに役立てる、デジタルツインを通じたデータ駆動型の都市運営が進展

時空間や世代を超えて共感を生む

AI・アバター・バーチャルを統合したコミュニケーション基盤の提供

生活者の感情・意図を正確に把握するアルゴリズムを有したAIを開発し、実装。生活者のコミュニケーションにおけるUX向上に貢献

Beyond 5G基盤の提供

5Gの「超高速・大容量」「超低遅延」「超多数同時接続」に加え、「自律性」「拡張性」「超安全・信頼性」「超低消費電力」を提供。バーチャルライフの提供に必要な膨大なコンピューティングパワーと通信インフラを提供

次世代型のコミュニケーションデバイス開発

リアルタイム翻訳機能や五感の伝達機能や感情・意図・意志の可視化機能等が実装。言語や文化、宗教、価値観等のギャップを越えたスムーズな協働の実現に寄与

出所：「NEC 2030VISION」　参考文献：https://jpn.nec.com/profile/brand/themes/

ネットワーク技術の進化のおかげで、10年前なら外出先で動画を見ることは困難でしたが、今では当たり前になりました。今後はさらに無線で産業機械を制御するなど、あらゆるものがネットワークでつながっていくIoT（モノのインターネット）の世界が広がると思われます。

量子コンピュータについても、1999年に1ビットの動作確認を成功させ、夢の技術と言われていましたが、各国の熾烈な技術競争により、数百ビットから数千ビットまで日々進化しています。

インターネットが出現した当時は、その使われ方についてさまざまな議論がありました。それと同様に、新しい技術が出現することで、社会のあり方とのコンフリクトが生じるかもしれません。しかし、標準化、法律、ガイドラインが整っていく中で、許容範囲や禁止事項が明らかになり、許容範囲内でさらに活用が進んでいきます。

また、日常生活においては、小売店舗、道路などのインフラ設備、駅や空港などの公共サービス施設など街自体の景観にも、技術の進化は大きな影響を及ぼしています。インターネット技術の進化でネットショッピングが普及した結果、ショッピングは、商店街のお店ではなく、オンラインショップで済ませる場面も多く見られます。また、教育についても、インターネット上の配信サービスでさまざまなことが学べるようになってきましたし、最新の知識も手に入れることができます。この20年間で、インターネットやスマートフォンに代表されるネットの世界の進展により、多くの物事がネットの世界で実現できるようになってきました。

しかし、コロナ禍でオンライン飲み会が一時流行ったこともありましたが、実際に人に会って話したいといった、人間が本来持つ欲求は変わらないと私は考えています。将来のことはわかりませんが、お酒を飲みながらわいわい騒ぐ場となる居酒屋がなくなることはないでしょう。また、インターネット配信があっても、ライブで音楽を聴くことの価値は変わらないと考えています。

インターネットに代表されるサイバー世界は非常に有用なツールではありますが、すべての活動がインターネット上に集約されないこともまた確かだろうと思います。人間にとっては、リアル世界での体験は重要ですし、今後、リアルの世界での活動を支援する技術がもっと開発されてもよいと思います。私自身、そのような技術の発展にも寄与したいと考えています。

――DXによる社会変革に貢献する

さらに、今後、日本や世界で進むデジタルトランスフォーメーション（DX）を介して、日本社会にとどまらず、世界の発展に少しでも貢献したいと考えています。DXとは、経済産業省がまとめたガイドライン（DX推進ガイドライン）によると、「企業がビジネス環境の激しい変化に対応し、データとデジタル技術を活用して、顧客や社会のニーズを基に、製品やサービス、ビジネスモデルを変革するとともに、業務そのものや、組織、プロセス、企業文化・風土を変革し、競争上の優位性を確立すること」とあります。ここで重要なのは、「データとデジタル技術を活用して」という点であり、まさに技術を起点としたビジネスモデルの改革にほかなりません。

最後になりますが、私自身はこれまで技術を中心に活動してきました。特に社会で役に立つ技術を追求してきたことから、今後のDXによる社会変革でも積極的に貢献できると考えています。これからも社会の一員として、より暮らしやすく、楽しい未来が実現できるように、微力ながらいろいろな人々と協力して、DXを成し遂げていきたいと考えています。それこそが新しい技術を生み出し続ける者の責任でもあるのです。

おわりに

本書では、深層学習（ディープラーニング）を使った顔認証技術について説明し、私がいかに顔認証技術で世界ナンバー1を獲得したかについてお伝えしました。ＡＩ技術に詳しくない方にもなるべくわかるようにまとめたつもりです。また、生体認証技術を全般的に幅広く、生体認証を生かして実現したい世界を提示しました。

「顔認証で何度も世界一を獲得した」と聞くと、読者のみなさまはすごくスマートで頭のいい人物を想像したかもしれません。しかし、私自身はそんなにすごい人物ではありません。一生懸命アルゴリズムを考えたのはもちろんですが、顔画像の撮影から、ソフトウェアの開発、バグとり、社内組織の創設、チームメンバーとの調整、生体認証の啓蒙活動など、できることは泥くさく何でもやってきました。世の中にはノーベル賞を獲れるようなすごい研究者もいますが、私自身はそれとは対極的で、非常に泥くさい企業研究者です。

私自身の本当の強みは、粘り強さだと思います。何事もあきらめずに次のステップだけを探して、一歩一歩進めてきました。1つの苦難を乗り越えると、次の苦難が出てくるのは時には辛いと感じましたが、今振り返ってみると、仲間と楽しみながら過ごしてこれたと思います。

とはいえ、このように書きましたが、「生体認証の社会実装」という意味では、実はまだ道半ばです。生体認証のポテンシャルは非常に高く、社会を変える力を持っています。今後は、顔認証の誤りをゼロにするという、研究者としてマニアックな道を探求しながら、生体認証や医療AIで社会を変革する活動を続けていきたいと考えています。さらに、今年度（2021年）からNECのデジタルトランスフォーメーション（DX）に関するテクノロジーを牽引するDXフェローとしての役割も任されることになり、AIやNW（ネットワーク）などのNECの最先端技術を生かして、社会変革に挑戦中です。

定年までまだ10年近くありますが、定年後は妻と一緒に顔認証システムが導入された国々をすべて周るのが夢です。NECの顔認証技術はアメリカやヨーロッパといったメジャーな国だけでなく、アフリカのガボンなど日本人の旅行先として馴染みのない国にも導入され、これらの国をすべて周るのはなかなかエキサイティングな旅になると思います。

もちろんこの成果は、私個人でできたものではなく、顔認証に関わってきた研究所のメンバーが研究開発した技術の積み重ねです。特に、顔認証チームの初期から、苦労をともにした早坂昭裕さんと森下雄介さんには心から感謝しています。ここまで厳しいことがたくさんあったと思います。現在の顔チームメンバーはすごい能力を持った研究者ばかりです。一人ひとりの努力の積み重ねが世界ナンバー1の成果につながりました。メンバーには感謝が尽きません。

また、研究所の上司として顔認証技術の指導をしてくださった佐藤敦さん、ありがとうございました。顔チームを支えてくださった宮川伸也さん、櫻井和之さん、ありがとうございます。長年にわたり、顔チームの研究開発を支えてくださったNECソリューションイノベータの流慎介さん、平原壮紀さん、日本電気航空宇宙システムの佐藤和生さん、NEC VALWAYの小川洋子さんをはじめとしたみなさま、ありがとうございます。また、鳥越健一さんには長年にわたって研究開発をサポートしていただきました。

顔認証の事業化活動を長年にわたって支えてくださったKris Ranganathさん、齊藤豪さん、川瀬伸明さん、吉川正人さん、白石展久さん、入澤英毅さんをはじめとした事業部、海外現地法人のみなさま、ありがとうございます。NECグループ内の多くの方が顔認証事業に関わってくださっています。NECという会社の風土として、困ったことがあるとそれぞれの分野の方がいろいろ助けてくれます。いつも心から感謝しています。

遠藤信博会長、新野隆副会長、森田隆之社長、西原基夫常務をはじめとする会社の幹部の方々には長年にわたり大変お世話になっております。特に遠藤会長には2010年に社長賞をいただいてから、顔認証について長年にわたり気にかけていただき、感謝が尽きません。西原基夫常務、山田昭雄執行役員には、研究開発組織のトップとして常にサポートをいただいています。大変感謝しております。顔認証の海外事業については、熊谷昭彦副社長、松木俊哉常務、山品正勝常務、田熊範孝常務にはお世話になっております。近藤邦夫元執行役員には顔認証技術開発センターの設立の際には大変お世話になりました。医療AIの推進については、雨宮邦和常務、池田仁さんに大変お世話になっています。

現在、吉崎敏文常務には、DXフェローとしてお世話になっており、本書の執筆を勧めていただきました。このような機会を与えてくださったことに大変感謝いたします。

本書を執筆するにあたり、フェロー活動のサポートチームの井上岳さん、松本真和さん、デジタルビジネスプラットフォームユニットの押山知子さん、東京２０２０オリンピック・パラリンピック競技大会については水口喜博さん、セキュリティ技術については一色寿幸さんには大変お世話になっています。特に、井上岳さんには本書執筆全般に関して並々ならぬご尽力をいただきました。感謝いたします。

本書の出版にあたり、プレジデント社の渡邉崇様、田所陽一様、翻訳家・ジャーナリストの斎藤栄一郎様には大変お世話になりました。感謝いたします。

最後に、妻の京子をはじめ、家族のみんなにはいつも支えてもらっています。妻や姉には本書の執筆時に下読みをしてもらいました。本当に感謝です！　いつもありがとう！

最後までお読みいただきありがとうございました。

２０２１年10月吉日　　今岡 仁

Grother, P., Grother, P., Ngan, M., and Hanaoka, K.(2019). Face recognition vendor test (FRVT) Part 2: Identification. US Department of Commerce, National Institute of Standards and Technology, NISTIR 8271.

第4章

南紀白浜 IoT おもてなしサービス実証
https://jpn.nec.com/biometrics/face/shirahama-iot/

成田空港 顔認証技術を活用した搭乗手続き『Face Express』
https://www.narita-airport.jp/jp/faceexpress/

Welcome to AADHAAR Dashboard, Unique Identification Authority of India
https://uidai.gov.in/aadhaar_dashboard/

国立研究開発法人国立がん研究センター、NEC、国立研究開発法人科学技術振興機構、国立研究開発法人日本医療研究開発機構プレスリリース「AI を活用したリアルタイム内視鏡診断サポートシステム開発大腸内視鏡検査での見逃し回避を目指す」(2017/7/10 発表)
https://jpn.nec.com/press/201707/20170710_01.html

NEC 2030VISION
5 つの目指す社会像：できたらすごいを社会に創る / ブランドサイト｜ NEC
https://jpn.nec.com/profile/brand/themes

デジタルトランスフォーメーションを推進するためのガイドライン（DX 推進ガイドライン）Ver. 1.0
https://www.meti.go.jp/press/2018/12/20181212004/20181212004-1.pdf

第2章

人工知能学会のホームページ
人工知能の FAQ　https://www.ai-gakkai.or.jp/whatsai/AIfaq.html

毛内拡 .(2020).『脳を司る「脳」最新研究で見えてきた、驚くべき脳のはたらき』講談社ブルーバックス B-2157.

Damas, S., Cordón, O. and Ibáñez, O. (2020). Handbook on Craniofacial Superimposition: The MEPROCS Project. Springer Nature.

ABC NEWS “Biometrics Used to Detect Criminals at Super Bowl”
https://abcnews.go.com/Technology/story?id=98871 (2021/10/1 アクセス)

第3章

National Institute of Standards and Technology.(2008). Multiple biometric grand challenge, MBGC.

Grother, P.J., Quinn, G.W., and Phillips, P.J.(2010). MBE 2010: Report on the evaluation of 2D still-image face recognition algorithms. National Institute of Standards and Technology, NISTIR 7709.

Grother, P. J. and Ngan, M. L. (2014). Face recognition vendor test (FRVT) performance of face identification algorithms. National Institute of Standards and Technology, NISTIR 8009.

Grother, P. J., Ngan, M. L. and Quinn, G. W.(2017). Face in video evaluation (FIVE) Face recognition of non-cooperative subjects. National Institute of Standards and Technology, NISTIR 8173.

Kandel, E. R., Schwartz, J. H., Jessell, T. M., Siegelbaum, S., Hudspeth, A. J. and Mack, S. (2012). Principles of neural science, Fifth Edition. New York: McGraw-hill.

Bakin, J. S., Nakayama, K. and Gilbert, C. D. (2000). Visual responses in monkey areas V1 and V2 to three-dimensional surface configurations. Journal of Neuroscience, 20(21), 8188-8198.

Tsao, D. Y., Moeller, S. and Freiwald, W. A. (2008). Comparing face patch systems in macaques and humans. Proceedings of the National Academy of Sciences, 105(49), 19514-19519.

Rajimehr, R., Young, J. C. and Tootell, R. B. (2009). An anterior temporal face patch in human cortex, predicted by macaque maps. Proceedings of the National Academy of Sciences, 106(6), 1995-2000.

Freiwald, W. A. and Tsao, D. Y. (2010). Functional compartmentalization and viewpoint generalization within the macaque face-processing system. Science, 330(6005), 845-851.

Issa, E. B. and DiCarlo, J. J. (2012). Precedence of the eye region in neural processing of faces. Journal of Neuroscience, 32(47), 16666-16682.

Chang, L. and Tsao, D. Y. (2017). The code for facial identity in the primate brain. Cell, 169(6), 1013-1028.

『国際標準に準拠したバイオメトリクスの用語および基本モデル』バイオメトリックセキュリティコンソーシアム編　瀬戸洋一・栗田寛久　監修、日本工業出版

参考文献

第1章

馬場悠男 . (2020).『「顔」の進化』講談社ブルーバックス B-2159.

Frost, N. (2017). The History of Passport Photos, From 'Anything Goes' to Today's Mugshots. Atlas Obscura.
https://www.atlasobscura.com/articles/passport-photos-history-development-regulation-mugshots (2021/10/2 アクセス)

Parkinson, J.(2015). How have passport photos changed in 100 years?. BBC NEWS
https://www.bbc.com/news/magazine-30988833 (2021/10/2 アクセス)

Baudoin, P. (2005). Review essay published in American Archivists for the book "The Passport: The History of Man's Most Travelled Document". The Society of American Archivists.
http://www.archivists.org/periodicals/aa_v68/review-baudoin-aa68_2.asp (2021/10/2 アクセス)

Kanwisher, N. and Yovel, G. (2006). The fusiform face area: a cortical region specialized for the perception of faces. Philosophical Transactions of the Royal Society B: Biological Sciences, 361(1476), 2109-2128.

Rivolta, D., Palermo, R., Schmalzl, L. and Williams, M. A. (2012). Investigating the features of the M170 in congenital prosopagnosia. Frontiers in Human Neuroscience, 6, 45.

Tanaka, K. (1996). Inferotemporal cortex and object vision. Annual review of neuroscience, 19(1), 109-139.

今岡 仁
（いまおか・ひとし）
日本電気株式会社　NEC フェロー

1970 年東京生まれ。1992 年大阪大学工学部応用物理学科卒業、1997 年大阪大学大学院博士課程修了（博士（工学））。1997 年 NEC 入社。入社後は脳視覚情報処理に関する研究に従事。2002 年マルチメディア研究所に異動。顔認証技術に関する研究開発に従事し、NEC の顔認証技術の事業化に貢献、世界 45 カ国で展開。2009 年より顔認証技術に関するアメリカ国立標準技術研究所主催のベンチマークテストに参加し、世界 No.1 評価を 6 回 (2009 年、2010 年、2013 年、2017 年、2018 年、2021 年) 獲得。2019 年、史上最年少で役員級プロフェッショナルである NEC フェローに就任。2021 年 4 月よりデジタルビジネスプラットフォームユニット及びグローバルイノベーションユニット担当となり、生体認証にとどまらず、AI・デジタルヘルスケアを含むデジタルビジネスに関するテクノロジーを統括。東北大学特任教授（客員）も兼職。

NECが描く
デジタルトランスフォーメーション（DX）に
ついてはこちらをご覧ください。

顔認証の教科書

2021年12月1日　第1刷発行

著　　者　今岡 仁
発 行 者　長坂嘉昭
発 行 所　株式会社プレジデント社
〒102-8641　東京都千代田区平河町2-16-1
平河町森タワー13F
https://www.president.co.jp　http://presidentstore.jp/
電話　編集（03）3237-3732
販売（03）3237-3731

編　　集　渡邉 崇　田所陽一
編集協力　斎藤栄一郎
販　　売　桂木栄一　高橋 徹　川井田美景　森田 巌　末吉秀樹
ブックデザイン& DTP　中西啓一（panix）
図版制作　橋立 満（翔デザインルーム）
制　　作　坂本 優美子

印刷・製本　凸版印刷株式会社

ISBN978-4-8334-2438-7

Printed in Japan